Max Gallo, né à Nice, est d'origine italienne. Il débute comme technicien tout en poursuivant des études d'histoire et entame alors une brillante carrière d'universitaire. Il obtient l'agrégation, le doctorat ès lettres et enseigne à l'université de Nice puis à l'Institut d'études politiques de Paris. Parallèlement, Max Gallo se lance dans le journalisme – il sera pendant dix ans éditorialiste à *L'Express* – et dans la politique. Après avoir été ministre puis député européen, il se retire de la vie politique pour se consacrer à l'écriture et rencontre un vif succès. Ses fresques historiques et ses biographies allient le souffle haletant des épopées à la rigueur de l'érudition. Plongé au cœur de l'Antiquité ou au beau milieu des batailles napoléoniennes, le lecteur entre avec délectation dans les méandres d'une histoire grandiose dont il est le descendant. Max Gallo est membre de l'Académie française depuis le 31 mai 2007.

L'âme de la France - 2

*Une histoire de la Nation
de 1799 à nos jours*

MAX
GALLO
DE L'ACADÉMIE FRANÇAISE

L'âme de la France - 2
*Une histoire de la Nation
des origines à 1799*

DOCUMENT

Ouvrage précédemment paru en un volume
aux Éditions Fayard sous le titre :

L'âme de la France
Une histoire de la Nation des origines à nos jours

Sommaire

LIVRE V
L'ÉTRANGE DÉFAITE
ET LA FRANCE INCERTAINE – 1920-2007

Première partie

Deuxième partie

Troisième partie

Quatrième partie

Cinquième partie

LIVRE IV

LA RÉPUBLIQUE IMPÉRIALE

1799-1920

1

LA COURSE DU MÉTÉORE

1799-1815

Il suffit à Napoléon Bonaparte de moins de cinq années – 1799-1804 – pour, comme il le dit, « jeter sur le sol de la France quelques masses de granit ».

Ces menhirs et ces dolmens institutionnels, du Code civil à l'Université et à la Banque de France, y demeurent souvent encore, et même quand ils ont été érodés, remodelés, parfois enfouis, les empreintes qu'ils ont laissées dans l'âme de la France sont si nettes qu'on peut dire que Napoléon Bonaparte, premier consul ou empereur, a dessiné la géographie administrative et mentale de la nation.

Certes, il a souvent utilisé les « blocs » déjà mis en place par la Révolution – les départements – et, avant elle, par des souverains qui voulaient bâtir une monarchie centralisée, absolue.

Symboliquement, dès le 19 février 1800, Bonaparte s'est d'ailleurs installé aux Tuileries.

Il y a trois consuls dans la nouvelle Constitution, mais Bonaparte est le premier ; les deux autres ne sont que les « deux bras d'un fauteuil dans lequel Bonaparte s'est assis ».

Il suffira de ces cinq années pour que le général de Brumaire devienne d'abord consul pour dix ans, puis à vie, enfin empereur, sacré par le pape Pie VII à Notre-Dame.

Mais à chaque étape de cette marche vers l'Empire – la souveraineté absolue – le peuple a été consulté par plébiscite. Et, quelles que soient les limites et les manipulations de ces scrutins, ils ont ancré dans le pays profond l'idée que le vote doit donner naissance au pouvoir, et que le suffrage populaire lui confère sa légitimité.

Le premier plébiscite – en février 1800 – rassemble 3 millions de oui et 1 562 non ; le consulat à vie est approuvé le 2 août 1802 par 3 568 885 voix contre 8 374 ; le 2 août 1804, le plébiscite en faveur de l'Empire recueille 3 572 329 voix contre 2 568 !

Sans doute, au moment du sacre, Napoléon s'est-il agenouillé devant le pape, mais le plébiscite a précédé cette « sacralisation » traditionnelle, suivie par le geste de Napoléon se couronnant lui-même et couronnant Joséphine de Beauharnais, puis prêtant serment devant les citoyens.

« Ce n'est qu'en compromettant successivement toutes les autorités que j'assurerai la mienne, c'est-à-dire celle de la Révolution que nous voulons consolider », explique-t-il.

Comme le dira une citoyenne interrogée après le sacre : « Autrefois nous avions le roi des aristocrates ; aujourd'hui nous avons le roi du peuple. »

C'est bien, dans des « habits anciens » – ceux de la monarchie, voire des empires romain ou carolingien –, un nouveau régime qui surgit et qui entend élever sur le double socle, monarchique et révolutionnaire, une nouvelle dynastie, une noblesse d'Empire rassemblée dans un ordre (celui de la Légion d'honneur), hiérarchisée (les maréchaux d'Empire), héréditaire, mais ouverte par le principe réaffirmé de l'égalité.

Les émigrés sont amnistiés (en 1802), ils peuvent s'insérer dans les rouages du pouvoir, mais la rupture avec la monarchie d'Ancien Régime est franche et tranchée.

En septembre 1800, à Louis XVIII qui l'invite à rétablir la monarchie légitime, Bonaparte répond : « Vous ne devez pas souhaiter votre retour en France. Il vous faudrait marcher sur cent mille cadavres. »

Et au mois de mars 1804, le duc d'Enghien, soupçonné de préparer le retour de la monarchie en prenant la tête d'un complot monarchiste (avec Cadoudal et les généraux Pichegru et Moreau), est enlevé dans le pays de Bade et fusillé dans les fossés de Vincennes (21 mars).

Cadoudal le Vendéen est guillotiné en place de Grève par le fils du bourreau Sanson qui avait décapité Louis XVI.

Même quand il entre dans la grande nef de Notre-Dame pour s'y faire sacrer empereur, Napoléon est l'héritier des Jacobins. Les membres de l'ordre de la Légion d'honneur, lorsqu'ils prêtent serment, s'engagent à conserver les territoires français – donc les conquêtes de la Révolution – dans leur intégrité, à défendre la propriété libérée des contraintes féodales, à reconnaître comme définitif le transfert de propriété résultant de la vente des biens nationaux et à affirmer le principe d'égalité.

Dès le lendemain du coup d'État de Brumaire, Bonaparte avait dit : « La Révolution est fixée aux principes qui l'ont commencée : elle est finie. »

« Je suis la Révolution », a même ajouté Bonaparte en commentant et assumant l'exécution du duc d'Enghien.

Mais c'est un régime original qui façonne l'âme de la France.

La consultation des citoyens par le moyen de votes successifs tamise une minorité de notables désignant les représentants des Français au Tribunat – qui discute mais ne vote pas – au Corps législatif – qui vote mais ne discute pas.

Par le jeu des plébiscites, Napoléon est formellement l'empereur des Français, alors que l'autorité vient en fait d'en haut, et non du peuple.

Mais les « apparences » démocratiques sont capitales.

L'âme de la France va s'en imprégner.

Elle y voit conforté le principe d'égalité, ressort de l'histoire nationale. Un libéral comme Benjamin Constant peut bien dire que le Consulat, puis l'Empire sont des « régimes de servitude et de silence », rappeler le rôle de la police, les nombreuses violations des droits de l'homme, la censure généralisée, le peuple mesure la différence avec l'Ancien Régime.

Le vent de l'égalité continue de souffler : chaque soldat a un bâton de maréchal dans sa giberne. Illusion, certes, mais le mirage dure, enivre l'âme de la France.

En même temps, la société s'imprègne des valeurs militaires que Napoléon Bonaparte incarne : ordre, autorité, héroïsme, gloire, nation.

Et ce régime est accepté, plébiscité.

C'est une dictature, mais le despote est éclairé. Il est homme des Lumières.

Son frère Lucien est Grand Maître du Grand Orient de France, qui regroupe alors toutes les loges maçonniques.

Quand la paix religieuse est rétablie – le concordat date du 16 juillet 1802 –, le catholicisme n'est pas décrété religion d'État, mais seulement religion de la majorité des Français. Nombreux, parmi les officiers, les voltairiens de son entourage, sont ceux qui bougonnent, mais ce compromis leur convient. Juifs et protestants trouveront d'ailleurs leur place aux côtés des catholiques sous la férule d'un empereur qui se serait fait « mahométan chez les mahométans ».

Cette pacification religieuse, qui place les Églises dans la dépendance de l'État, n'est qu'un des aspects de ce régime d'autorité et d'ordre qu'en l'espace de cinq années Napoléon Bonaparte met en place.

Banque de France, Code civil, préfets et sous-préfets, lycées, école de Saint-Cyr, réorganisation de l'Institut en quatre classes, chambres de commerce, divisions administratives, dotation à la Comédie-Française, pension de retraite des fonctionnaires, préfecture de police à Paris, organisation hiérarchisée de l'Université, Légion d'honneur : la France moderne, fille de la monarchie et de la Révolution, sort de terre.

À cela s'ajoute la gloire militaire, après que Napoléon Bonaparte a défait les Autrichiens en Italie, à Marengo (14 juin 1800).

Bataille et victoire exemplaires, puisque le mérite en revient à Desaix – qui y trouve la mort – et à Kellermann, mais dont la presse aux ordres attribue tout le mérite à Napoléon Bonaparte.

Ainsi se confirme le rôle moderne de la propagande dans le fonctionnement d'un régime qui accentue la personnalisation – les grands tableaux historiques, les images d'Épinal, figurent et diffusent sa geste héroïque – et construit ainsi la légende napoléonienne.

Elle masque les répressions et les reniements : ainsi du plus symbolique et du plus inacceptable d'entre eux, le rétablissement, le 20 mai 1802, de l'esclavage aboli par la Convention, la déportation et la mort de Toussaint-Louverture, les massacres de Noirs à Saint-Domingue.

Ou bien la surveillance policière qui, par le biais du « livret ouvrier », contrôle la population laborieuse des villes, la plus rebelle parce que ne bénéficiant pas, comme la paysannerie, du transfert de propriété, de l'abandon des droits seigneuriaux réalisés pendant la Révolution.

Le régime s'appuie ainsi sur la gloire du premier consul, la paix qu'il apporte – elle est signée avec l'Angleterre à Amiens en 1802, mais ne durera qu'un an –, le silence qu'il impose.

Il assure la protection des propriétés et la stabilité monétaire avec la création du franc germinal et la concession à la Banque de France du privilège de l'émission.

Les notables, les propriétaires et les rentiers sont satisfaits. Les formes de la politique propres à la France contemporaine se dessinent ici.

Le fonctionnement démocratique – le vote – est corseté et manipulé par le pouvoir incarné par une personnalité héroïque au-dessus des factions, des partis et des intérêts. C'est un régime de notables, de « fonctionnaires » d'autorité (militaires et préfets), auquel la paysannerie sert de base populaire. Mais Napoléon Bonaparte en est la clé de voûte.

C'est dire que cette construction politique dépend étroitement de la « gloire » du « héros », donc d'une défaite militaire ou de la disparition de la personne du consul.

Ainsi, la rumeur de la défaite et de la mort de Napoléon à Marengo ébranle tout le régime en 1800.

La création de l'Empire est une tentative pour le pérenniser.

Un député du Tribunat – Curée – déclare ainsi le 30 avril 1804 : « Il ne nous est plus permis de marcher lentement, le temps se hâte. Le siècle de Bonaparte est à sa quatrième année ; la Nation veut qu'un chef aussi illustre veille sur sa destinée. »

Napoléon Bonaparte est sacré empereur des Français le 2 décembre 1804.

Mais la course d'un météore ne peut que s'accélérer.

En cinq nouvelles années, de 1804 à 1809, Napoléon plonge l'âme de la France dans l'ivresse de la légende. Et durant deux siècles la nation titubera au souvenir de ce rêve de grandeur qui a le visage des grognards d'Austerlitz, d'Iéna, d'Auerstaedt, d'Eylau et de Friedland.

Napoléon entre et couche dans les palais de Vienne, de Berlin, de Varsovie, de Madrid, de Moscou. Il est le roi des rois.

À Milan, il s'est fait couronner roi d'Italie. Son frère Joseph est roi de Naples avant d'être roi d'Espagne. Son frère Louis est roi de Hollande. Sa sœur Elisa est princesse de Lucques. Les maréchaux d'Empire deviennent à leur tour rois selon le bon plaisir de l'Empereur.

Ses soldats sont à Lisbonne et sur les bords du Niémen. Ils occupent Naples et Rome.

Cette légende napoléonienne n'imprègne pas seulement la France, elle bouleverse l'Europe, dont elle modifie l'équilibre et change l'âme.

La Grande Armée apporte dans ses fontes le Code civil, mais aussi les semences de la révolte contre cette France impériale qui annexe et qui s'institue, de la Russie au Portugal, maîtresse du destin des peuples.

Or ceux-ci, de Madrid à Berlin, du Tyrol à Naples, affirment leur identité.

Fichte écrit ses premiers *Discours à la nation allemande* (1807) et Goya peint les insurgés qui, *el dos y el tres de Mayo* – les 2 et 3 mai 1808 –, attaquent les troupes françaises à Madrid, puis dans toute l'Espagne et sont réprimés.

De 1804 à 1809 s'esquisse l'Europe du XIXe siècle et de la plus grande partie du XXe, dans laquelle les nations, nouant et dénouant leurs alliances, s'affrontent dans des guerres dont ces cinq années napoléoniennes auront été les ferments.

L'âme même de la France est profondément modelée par cette période où se fixent son destin, celui de l'Empire napoléonien et le regard que ce pays porte sur lui-même et sur l'Europe.

Car on n'est pas impunément la nation dont les soldats ont vu se lever le soleil d'Austerlitz le 2 décembre 1805.

D'abord, cette nation s'imprègne des valeurs d'autorité.

Le régime n'est pas seulement cet Empire plébiscitaire où l'égalité et les bouleversements produits par la Révolution sont admis, « codifiés ».

Il est aussi une dictature militaire, avec son catéchisme impérial, son université impériale, ses lycées qui marchent au tambour (1 700 bacheliers en 1813), sa noblesse d'Empire (1808).

La France voit ainsi se poursuivre la tradition d'une monarchie absolue, centralisée.

Le contrôle de tous les rouages de la nation est même plus pointilleux, plus efficace, plus

« bureaucratique » qu'il n'était au temps des monarques légitimes, quand le pays restait souvent « un agrégat inconstitué de peuples désunis ».

Napoléon, empereur « jacobin », régente toutes les institutions. Il a ses préfets, ses évêques, ses gendarmes, sa Légion d'honneur, son Code civil et sa Cour des comptes (1808) pour tenir toute la nation serrée.

Il promeut aux « dignités impériales ». Il dote les siens. Car l'Empire des Français entend bien devenir celui d'une dynastie.

Dès 1807, on s'inquiète, dans l'entourage de Napoléon, de sa descendance. On songe au divorce de l'Empereur d'avec Joséphine de Beauharnais, incapable de donner naissance à un fils.

Napoléon a marié son frère Louis, roi de Hollande, à Hortense de Beauharnais, fille de Joséphine, et en 1808 naîtra de cette union Louis-Napoléon, futur Napoléon III, qui régnera jusqu'en 1870.

À cette réalité dynastique, on mesure le prolongement, durant tout le XIXe siècle français, de ce qui s'est joué au cours de ces années légendaires.

Napoléon renforce – aggrave – les traits de la monarchie, qu'il associe à l'héritage révolutionnaire. Et toutes les intrigues de la Cour, les pathologies politiques liées au pouvoir d'un seul, s'en trouvent soulignées.

Car Napoléon a la vigueur brutale d'un fondateur de dynastie. C'est un homme d'armes. Il a conquis son pouvoir par l'intrigue et le glaive, non par la naissance.

Il est vu et se voit comme un « homme providentiel », une sorte de substitut laïque – même s'il a été sacré par le pape – au monarque de droit divin.

Dans son entourage, il y a d'ailleurs des régicides.

Ainsi ce Fouché, homme de toutes les polices, auquel Napoléon reproche de susciter rumeurs et intrigues. Ou bien ce Talleyrand qui a célébré comme évêque d'Autun la fête de la Fédération (14 juillet 1790) et que, publiquement, l'Empereur rudoie :

« Vous êtes un voleur, un lâche, un homme sans foi ! Vous avez toute votre vie trompé, trahi tout le monde. Je vous ai comblé de biens et il n'y a rien dont vous ne soyez capable contre moi. Vous mériteriez que je vous brisasse comme du verre, j'en ai le pouvoir, mais je vous méprise trop pour en prendre la peine. Oh, tenez, vous êtes de la merde dans un bas de soie » (janvier 1809).

Après la longue durée monarchique et la période sanglante de la Révolution, ces années napoléoniennes achèvent d'éclairer la nation sur la nature du pouvoir politique.

Elle en mesure l'importance et en même temps s'en méfie. Elle s'en tient à distance tout en rêvant à l'homme placé par le destin au-dessus des autres et qui, un temps, est capable de l'incarner, elle.

Elle rejette et méprise ceux qui grouillent et grenouillent autour de lui. Elle n'est pas dupe du pouvoir, qu'il se présente comme monarchique ou révolutionnaire.

Mais elle continue d'espérer en l'homme providentiel capable de résoudre ses contradictions, de la porter un temps au-dessus d'elle-même, dans l'éclat de sa gloire.

Napoléon conforte ce penchant national.

Il l'encourage par une propagande systématique.

Les *Bulletins* de la Grande Armée (le premier date d'octobre 1805) rapportent ses exploits, reconstituent les batailles pour en faire autant de chapitres de la légende.

Le 30 décembre 1805, le Tribunat lui décerne le titre de Napoléon le Grand. On fête le 15 août la Saint-Napoléon. On célèbre ses victoires par des *Te Deum* et des salves de canons. On édifie des arcs de triomphe à sa gloire.

Car la réalité quotidienne de ces années, c'est la guerre dans toute l'Europe.

Les coalitions anti françaises se succèdent, rassemblant, selon les séquences, l'Autriche, la Russie ou la Prusse autour de la clé de voûte qu'est l'Angleterre.

Ainsi se dessine une géopolitique européenne qui perdurera et dont Napoléon est à la fois l'héritier et le concepteur.

L'âme de la France en épouse les contours.

Il y a l'Angleterre, qu'on ne peut conquérir (le 21 octobre 1805, Trafalgar a vu le naufrage de la flotte franco-espagnole). Elle est l'organisatrice de la résistance à cet effort d'unification du continent européen qu'est aussi la conquête impériale. Que Londres rallie la totalité des puissances européennes ou seulement quelques-unes, son dessein reste inchangé : réduire les ambitions françaises, empêcher la création du Grand Empire, s'appuyer sur l'Autriche, la Prusse, la Russie.

À rebours, Napoléon s'efforce de détacher l'une ou l'autre de ces puissances de la coalition anglaise.

Il annexe. Il se fait roi d'Italie. Il couronne ses frères. Il est le protecteur de la Confédération du Rhin. Il songe déjà à un mariage avec une héritière des Habsbourg pour renouer avec la tradition monarchique de l'alliance avec Vienne.

Le 21 novembre 1806, à Berlin, il décrète que les îles Britanniques sont en état de blocus. Et ce

Blocus continental – interdiction à l'Angleterre de vendre ou d'importer, saisie de ses navires et des bâtiments qui commercent avec elle – contient le principe d'une guerre infinie, puisque, pour être efficace, la mesure doit s'appliquer à toute l'Europe, au besoin par la force.

Réciproquement, l'Angleterre ne peut accepter l'existence de cet Empire continental qui menace sa suprématie commerciale et diplomatique.

De même, les puissances monarchiques européennes – de plus en plus soutenues par une opinion qui découvre la nation, le patriotisme – ne peuvent admettre cet empereur qui chevauche la Révolution et diffuse un Code civil, un esprit des Lumières sapant l'autorité des souverains.

La guerre est donc là, permanente, grande consommatrice d'hommes et de capitaux, modelant l'âme de la France, valorisant l'héroïsme, le militaire plutôt que le marchand, « brutalisant » la France et l'Europe.

C'est un engrenage où il faut non point de « l'humeur et des petites passions, mais des vues froides et conformes à sa position ».

Dès lors, l'inspiration « révolutionnaire » de l'Empire napoléonien cède la place aux exigences géopolitiques. L'idée s'impose que l'on pourrait contrôler l'Europe continentale en la serrant entre les deux mâchoires d'une alliance franco-russe.

Après Eylau et Friedland (1807), Napoléon rencontre le tsar Alexandre au milieu du Niémen et signe avec lui le traité de Tilsit (1807).

Ainsi naît une « tradition » diplomatique liant Paris à Saint-Pétersbourg, fruit de l'illusion plus que de la réalité.

Mais il faut aussitôt courir à l'autre bout de l'Europe parce que le Portugal est une brèche dans le Blocus continental, qu'il convient de refermer.

Les troupes françaises s'enfoncent en Espagne, dont Lucien Bonaparte devient roi, mais le peuple espagnol se soulève.

La France n'est plus la libératrice qui porte l'esprit des Lumières, mais fait figure d'Antéchrist.

« De qui procède Napoléon ? interroge un catéchisme espagnol. De l'Enfer et du péché ! »

Ainsi se retourne l'image de la France, nation tantôt admirée, tantôt haïe.

Ce sont ses soldats, parfois des anciens de Valmy, devenus fusilliers, que Goya peint dans *Les Horreurs de la guerre*.

44

Cinq années encore – 1809-1814 –, et la course du météore Napoléon s'arrête.

Les « alliés » – Russes, Autrichiens, Prussiens – entrent dans Paris. Le 31 mars, une foule parisienne – des royalistes – acclame le tsar Alexandre : « Vive Alexandre ! Vivent les Alliés ! » On embrasse ses bottes.

Quelques jours plus tard, le 20 avril, après avoir abdiqué, Napoléon s'adresse à sa Garde.

Les mots sonnent comme une tirade d'Edmond Rostand, ils s'inscrivent dans la mémoire collective, reproduits par des millions d'images d'Épinal montrant les grognards en larmes écoutant leur chef.

Le météore s'est immobilisé, mais la légende s'amplifie, envahit l'âme de la France, répète les mots de l'Empereur :

« Soldats de ma vieille Garde, je vous fais mes adieux. Depuis vingt ans, je vous ai trouvé constamment sur le chemin de l'honneur et de la gloire.

« Avec des hommes tels que vous, notre cause n'était pas perdue, mais la guerre était interminable : c'eût été la guerre civile, et la France n'en serait devenue que plus malheureuse. J'ai donc sacrifié tous nos intérêts à ceux de notre patrie.

« Je pars. Vous, mes amis, continuez à servir la France. Je voudrais vous presser tous sur mon cœur ; que j'embrasse au moins votre drapeau !

« Adieu encore une fois, mes chers compagnons ! Que ce dernier baiser passe dans vos cœurs ! »

Napoléon échappe ici à l'histoire pour entrer dans le mythe. Mais c'est l'histoire qui, au jour le jour de ces cinq dernières années, l'a vaincu.

Pourtant, la légende est si puissante, si consolante, que l'âme de la nation aura de la peine à reconnaître que, contre la France, ce sont les peuples d'Europe qui se sont dressés.

En Espagne, la guérilla ne cesse pas.

Pour obtenir la reddition de Saragosse, « il a fallu conquérir la ville maison par maison, en se battant contre les hommes, les femmes et les enfants » (février 1809).

En Autriche, un jeune patriote, Friederich Staps, tente à Schönbrunn d'assassiner l'Empereur, qui s'étonne : « Il voulait m'assassiner pour délivrer l'Autriche de la présence des Français » (octobre 1809).

Les victoires des armées impériales (Eckmühl, Essling, Wagram) ne peuvent contenir ce mouvement patriotique qui embrase l'Europe contre la France impériale.

Sous la conduite d'Andreas Hofer, les Tyroliens se soulèvent. Hofer est fusillé. La résistance persiste, encouragée par l'Angleterre, l'Autriche, la Prusse, la Russie.

Les annexions françaises – la Hollande est rattachée à l'Empire, tout comme la Catalogne, Brême, Lübeck, Hambourg, le duché d'Oldenburg, les États de l'Église – ne renforcent pas l'Empire, mais, au contraire, créent de nouvelles oppositions.

La Russie, dont Napoléon espérait faire un partenaire, rejoint les coalisés.

L'Europe des nations refuse l'Empire napoléonien, qui reste, aux yeux des souverains, une excroissance de la Révolution.

Napoléon n'était qu'un Robespierre à cheval !

Là gît la contradiction majeure de la politique impériale. Elle explique pour une part la place de la légende napoléonienne dans l'âme de la France. On oublie les peuples dressés contre la nation révolutionnaire pour ne retenir que la guerre que lui font les rois.

De fait, Napoléon a tenté de mettre fin à la guerre en concluant le traité de Tilsit avec le tsar, ou par son mariage avec Marie-Louise d'Autriche (1810). Cette union entre l'ancien général – arrêté en 1794 pour robespierrisme – et la descendante des Habsbourg est un acte symbolique de Napoléon pour devenir un « souverain comme les autres », peut-on dire, dans la lignée d'un Louis XVI époux de Marie-Antoinette d'Autriche !

Comme il le déclarera à Metternich, Napoléon espère ainsi « marier » les « idées de mon siècle et les préjugés des Goths », l'empereur des Français issu de la Révolution et la fille de l'empereur d'Autriche.

Ce « mariage » échouera.

La légende réduit à une déception amoureuse ce qui est l'échec d'un compromis politique.

L'Europe monarchique – soutenue par ses peuples dressés contre les armées françaises – se refuse à reconnaître la dynastie napoléonienne. Elle veut briser en Napoléon la Révolution française. L'Autriche elle-même entrera dans la coalition antifrançaise en 1813.

Quant à l'Angleterre, elle poursuit son objectif particulier : empêcher la constitution de l'Empire continental, l'unité de l'Europe sous direction française.

Napoléon est ainsi contraint à la guerre, puisque ce que l'Angleterre et l'Europe monarchique recherchent, c'est non pas un compromis, mais sa capitulation, laquelle serait, plus que la défaite de sa dynastie, celle de la Révolution.

Mais la guerre incessante sape les bases de sa popularité et mine la situation de la nation. Crise financière et crise industrielle affaiblissent le pays en 1811. Il suffit d'une mauvaise récolte, en 1812, pour que le prix du blé augmente, pour que dans de nombreux départements on revive une « crise des subsistances », avec ses conséquences : attaque de convois de grains, émeutes.

Et ce ne sont pas les distributions quotidiennes et gratuites de soupe qui les font cesser, mais une répression sévère qui se solde par de nombreuses exécutions.

Cependant, la guerre ne peut être arrêtée.

Elle s'étend au contraire à la Russie, qui ne respecte pas le Blocus continental et exige l'évacuation de l'Allemagne par les troupes françaises.

Cette campagne de Russie, qui s'ouvre le 24 juin 1812, porte à incandescence toutes les contradictions de la politique napoléonienne.

L'Empereur se heurte à une résistance nationale exaltée par le tsar :

« Peuple russe, plus d'une fois tu as brisé les dents des lions et des tigres qui s'élançaient sur toi, écrit le souverain russe dans une adresse à ses sujets.

« Unissez-vous, la croix dans le cœur et le fer dans la main… Le but, c'est la destruction du tyran qui veut détruire toute la terre.

« Que partout où il portera ses pas dans l'empire, il vous trouve aguerris à ses fourberies, dédaignant ses mensonges et foulant aux pieds son or ! »

Napoléon entre dans Moscou, mais n'a pas osé proclamer l'abolition du servage qui eût pu, peut-être, lui rallier les paysans. Il fait désormais partie de la « famille des rois », et se refuse à provoquer « l'anarchie ».

Mais ses difficultés, son éloignement, sa retraite – il franchit la Berezina le 29 novembre 1812 –, fragilisent son régime au point qu'un complot, celui du général Malet, se développe à Paris. On tente de s'emparer du pouvoir en prétextant la mort de l'Empereur.

Dans l'entourage même de Napoléon, les généraux faits rois – Bernadotte et Murat en Suède et à Naples – et une bonne partie de la noblesse impériale ne songent plus qu'à trahir ou à s'éloigner de l'Empereur afin de parvenir à un compromis avec les « alliés ».

Au Corps législatif, le 29 décembre 1813, un rapport voté par 223 voix contre 51 décrit une France épuisée et condamne implicitement la politique impériale.

« Une guerre barbare et sans but engloutit périodiquement une jeunesse arrachée à l'éducation, à l'agriculture, au commerce et aux arts… Il est temps que l'on cesse de reprocher à la France de vouloir porter dans le monde entier les torches révolutionnaires. »

C'est un appel à la restauration de l'ordre monarchique.

Face à cet abandon des notables, et avant de choisir d'abdiquer, Napoléon tente, par une brillante campagne de France, d'arrêter l'avance des troupes des coalisés qui, pour la première fois depuis 1792, pénètrent sur le sol national.

Napoléon retrouve alors les tactiques et les mots du général de 1793, de l'empereur qui a été « choisi par quatre millions de Français pour monter sur le trône ».

Et la légende napoléonienne se grossit de ce retour au patriotisme de l'époque révolutionnaire.

« J'appelle les Français au secours des Français ! » s'écrie Napoléon.

« La patrie est en danger, il faut reprendre ses bottes et sa résolution de 93 ! »

Les victoires de Champaubert, de Montmirail, de Château-Thierry, scandent ce retour. Des paysans, sur les arrières des coalisés, mènent une guerre d'embuscades contre les troupes occupantes.

Mais, abandonné par ses généraux, trahi, Napoléon sera contraint de capituler et de faire à Fontainebleau ses adieux à la Garde impériale avant de gagner l'île d'Elbe, dont les coalisés lui ont offert la royauté.

Première Restauration.

Les frères de Louis XVI, Louis XVIII et le comte d'Artois, rentrent à Paris.

La France est « ramenée » aux frontières de 1792.

Une charte est octroyée.

La Révolution a-t-elle eu lieu ? Le drapeau blanc à fleurs de lys remplace le drapeau tricolore.

Des milliers de soldats et d'officiers, les grognards qui ont construit la légende napoléonienne, sont placés en demi-solde.

La maison militaire du roi est rétablie.

Les nobles rentrent de l'émigration. Certains sont réintégrés dans l'armée ; ils ont acquis leurs grades dans les armées des coalisés.

On célèbre le sacrifice de Cadoudal, et une cérémonie expiatoire est organisée à la mémoire de Louis XVI et de Marie-Antoinette.

Ici et là, des actes de vengeance sont perpétrés. Et le ministre de la Guerre nomme généraux des contre-révolutionnaires qui ont participé aux guerres de Vendée.

Il semble à la nation qu'une France, celle des princes, des émigrés, de ceux qui ont fait la guerre aux côtés de l'étranger, veuille imposer sa loi et ses valeurs à la France non plus de 1794 – celle de la Terreur –, ni à celle de 1804 – celle du sacre de Napoléon –, mais à celle de 1789.

Les ci-devant ont en effet recouvré leur arrogance, et souvent leurs châteaux.

Ce n'est donc pas une nation réconciliée que désirent Louis XVIII et les royalistes, mais cette France d'Ancien Régime que les Français avaient rejetée.

Dans l'âme de la nation, dès ces années 1814-1815, la monarchie apparaît ainsi liée à l'étranger.

Elle est rentrée dans les fourgons des armées ennemies.

Dans ce climat, Napoléon incarne, au contraire, l'amour de la patrie.

Le 1er mars 1815, il débarque à Golfe-Juan.

Il adresse une proclamation à l'armée :

« La victoire marchera au pas de charge ; l'Aigle avec les couleurs nationales volera de clocher en clocher jusqu'aux tours de Notre-Dame : alors vous pourrez montrer avec honneur vos cicatrices – vous serez les libérateurs de la France ! »

Le souffle de la légende balaie à nouveau le pays.

Napoléon est l'homme des trois couleurs de la Révolution et de *La Marseillaise*, du patriotisme et de la gloire. Et même, ô paradoxe, de la République !

En cent jours, du 1er mars au 22 juin 1815, du débarquement de Golfe-Juan à l'abdication, la légende s'empare de tous les actes de Napoléon et achève de transformer son parcours historique en mythe qui, irriguant l'âme de la France, oriente par là l'histoire de la nation.

Homme providentiel, Napoléon est grandi par la défaite, la déportation à Sainte-Hélène.

Il devient le persécuté, le héros crucifié, et ces Cent-Jours, la défaite sacrificielle de Waterloo, font de lui, par une forme de « sacre », ainsi que l'écrira Victor Hugo, l'« homme-peuple comme Jésus est l'homme-Dieu ».

Lucidement, méticuleusement, lorsque, à Sainte-Hélène, il dicte à Las Cases ses mémoires, ce *Mémorial de Sainte-Hélène* qui deviendra le livre de chevet de centaines de milliers de Français – mais aussi d'Européens –, Napoléon s'applique à faire coïncider l'histoire avec le mythe, avec les désirs des nouvelles générations, et à transformer son destin en épopée de la liberté.

Hugo, Stendhal, Vigny, Edmond Rostand, une foule d'écrivains ont contribué à façonner cette légende, et, par là même, à créer dans l'imaginaire français – dans l'âme de la France – une nostalgie qui est attente de l'homme du destin.

Tel Napoléon Bonaparte, celui-ci sera l'incarnation de la nation, il lui procurera grandeur et gloire, confirmera qu'elle occupe avec lui une place singulière dans l'histoire des nations.

Il sera aussi un homme du sacrifice, gravissant le Golgotha, aimé, célébré, entrant au Panthéon de la nation après avoir été trahi par les judas qui l'auront vendu pour quelques deniers.

La légende napoléonienne sous-tend à son tour et renforce cette lecture « christique » de l'histoire nationale.

La France se veut une nation singulière, et il lui faut des héros qui expriment l'exception qu'elle représente.

Elle les attend, les sacre, s'en détourne, puis elle prie en célébrant leur culte.

« Fille aînée de l'Église », cette nation a gardé le souvenir des baptêmes et des sacres royaux, des rois thaumaturges.

La Révolution laïque n'a changé que les apparences de cette posture.

Robespierre lui-même ne conduisit-il pas un grand cortège célébrant l'Être suprême dont il apparaissait comme le représentant sur terre ? Et sa chute, sa mort, ne furent-elles pas autant de signes de cette « passion » révolutionnaire qui l'habitait ?

Et lorsque l'on célèbre, dans une cérémonie expiatoire, la mort de Louis XVI et de Marie-Antoinette, c'est, sur l'autre versant du Golgotha, le même sacrifice, le même destin qu'on magnifie.

Plus prosaïquement, et avec habileté, durant les Cent-Jours, Napoléon joue du rejet par l'opinion de la restauration monarchique.

Il se présente comme l'homme de 1789 et même de 1793.

Dès le 12 mars, par les décrets de Lyon (ville d'où le comte d'Artois vient de s'enfuir), il réaffirme que l'ancienne noblesse est « abolie », que les chambres sont dissoutes, que les électeurs sont convoqués pour en élire de nouvelles, et que le drapeau tricolore est à nouveau celui de leur nation.

Tout au long de cette marche vers Paris, les troupes se rallient – autant de faits qui deviendront des images d'Épinal, des épisodes de légende –, les paysans l'acclament. Il a choisi de passer par les Alpes et non par la vallée du Rhône, « royaliste ». On plante des « arbres de la liberté », comme en 1789. Il répond qu'il compte « lanterner » les prêtres et les nobles qui veulent rétablir la dîme et les droits féodaux, et il affirme même : « Nous recommençons la Révolution ! »

À son arrivée à Paris, le 20 mars, le « quart état » manifeste dans les faubourgs du Temple, de Saint-Denis, de Saint-Antoine, en chantant *La Marseillaise* et en brandissant des drapeaux tricolores.

Le Paris des journées révolutionnaires qui, depuis 1794, n'a connu que des défaites et des répressions sort de sa torpeur.

Et les vieux jacobins régicides appellent à soutenir ce nouveau Napoléon qui promulgue l'Acte additionnel aux Constitutions de l'Empire, texte libéral qui élargit les pouvoirs des élus.

1 536 000 oui contre 4 802 non approuveront ces nouvelles dispositions.

Ce n'est pourtant là qu'une face de la réalité.

Napoléon n'est pas un jacobin, mais un homme d'ordre, qu'il ne veut pas rompre avec les « notables » qui l'accueillent aux Tuileries pendant que l'on manifeste dans les faubourgs.

« Il faut bien se servir des jacobins pour combattre les dangers les plus pressants, dit Napoléon. Mais soyez tranquilles : je suis là pour les arrêter. »

Le cynisme de l'homme d'action dévoile, dans cette déclaration, l'une des caractéristiques essentielles de l'histoire politique française telle que la Révolution en a redessiné les contours.

La France est une nation « politique ».

Depuis la préparation des élections aux états généraux et par le biais des cahiers de doléances, le peuple est descendu dans l'arène non pas seulement pour protester ou défendre telle ou telle revendication particulière, mais pour intervenir et même s'emparer des problèmes politiques généraux de la nation.

Il y a donc désormais une « opinion populaire », celle qui a provoqué les journées révolutionnaires.

Les « sections » de sans-culottes et les clubs l'orientent.

Elle a pesé sur le sort de la Révolution. Elle est responsable de ses « dérapages » – les massacres de Septembre, la Terreur, l'ébauche de dictature jacobine –, qui, selon certains historiens, sont venus rompre le raisonnable ordonnancement de la monarchie constitutionnelle.

Napoléon Bonaparte a tenté de gouverner au centre de l'échiquier – « ni bonnets rouges ni talons rouges, je suis national » –, mais les « extrémistes » continuent de peser.

Ces néojacobins peuvent servir de contrepoids aux royalistes.

Pour les rallier, il lui faut emprunter leur langage, faire mine de « recommencer la Révolution ».

Et alors que Louis XVIII vient à peine de s'enfuir de Paris pour gagner Gand avec la Cour, Napoléon nomme le régicide Carnot, ancien membre du Comité de salut public, ministre de l'Intérieur.

Manière de rallier à soi les jacobins, de montrer aux royalistes qu'on n'est prêt à aucun compromis avec eux, mais façon aussi de persuader les notables qu'on ne cédera pas aux « anarchistes ».

Cette posture ultime renforce l'image « révolutionnaire » et « républicaine » de l'Empereur.

Ce jeu de bascule – s'appuyer sur le quart état, les sentiments révolutionnaires d'une partie du peuple, pour combattre les royalistes tout en rassurant les notables, puis, une fois le pouvoir consolidé, se dégager du soutien jacobin – devient une figure classique de la vie politique française.

Napoléon Bonaparte en fut l'un des premiers et grands metteurs en œuvre.

Mais, au printemps de 1815, alors que toute l'Europe monarchiste se rassemble pour en finir avec cet « empereur jacobin », la manœuvre ne peut réussir.

Certes, un frémissement patriotique parcourt le pays. On s'enrôle pour aller combattre aux frontières. On entonne *Le Chant du départ* et *La Marseillaise*. Et Napoléon ne manquera pas d'hommes pour affronter la septième coalition.

Certes, les fédérés des faubourgs parisiens réclament des armes. Mais Napoléon ne leur en donne pas.

Il veut l'appui des notables, de ce Benjamin Constant qui a rédigé l'Acte additionnel aux Constitutions de l'Empire et qui est précisément un adversaire résolu de la Révolution et de... l'Empire !

Quant aux royalistes, ils se soulèvent en Vendée. Et les électeurs – ce sont des notables – élisent pour la Chambre des représentants des « libéraux » qui aspirent à l'ordre et à la paix.

Or Napoléon ne peut leur apporter que la guerre – puisque les coalisés ont refusé d'entendre ses appels à la paix –, et les notables savent d'expérience que la guerre est un engrenage d'où peut surgir une nouvelle fois le désordre, la terreur, et, au mieux, un renforcement des pouvoirs de ce Napoléon dont l'Europe ne veut plus.

Ainsi, avant même que ne s'engage la bataille de Waterloo, Napoléon a-t-il perdu la guerre politique.

La défaite militaire ne peut que se traduire par une abdication.

Sans doute, après l'annonce de la défaite de Waterloo – un 18 juin –, la foule continue-t-elle à défiler dans Paris, réclamant des armes et criant « Vive l'Empereur ! ». Et Carnot de proposer l'instauration d'une dictature de salut public confiée à Napoléon Bonaparte.

Mais la Chambre des représentants et la Chambre des pairs ne laissent à Napoléon que le choix entre la déchéance – qu'elles voteraient – et l'abdication.

Il faudrait faire contre elles un « 18 Brumaire » du peuple. Mais Napoléon – l'ancien lieutenant qui, en 1789, avait réprimé des émeutes paysannes sans états d'âme – déclare qu'il ne veut pas être « le roi de la Jacquerie ».

Ce ne sont pas ces mots-là que retiendra la légende, mais le retour, le 8 juillet 1815, après la défaite des armées françaises, de Louis XVIII, la trahison de Talleyrand et de Fouché, nommés par le roi l'un à la tête du ministère, l'autre à celle de la police.

La nation retient la Terreur blanche qui se déchaîne contre les bonapartistes et les jacobins, les exécutions de généraux qui ont rejoint Napoléon à son retour de l'île d'Elbe, l'élection d'une Chambre « introuvable » composée d'ultraroyalistes, et la conclusion, le 26 septembre, au nom de la sainte Trinité, d'une Sainte-Alliance des souverains d'Autriche, de Prusse et de Russie pour étouffer tout mouvement révolutionnaire en Europe.

La France, qui subit cette réaction, est fascinée par la déportation de Napoléon – il arrive à Sainte-Hélène le 16 octobre 1815.

Elle pleurera sa mort le 5 mai 1821.

Elle lira avec passion le *Mémorial de Sainte-Hélène* et, en 1840, elle célébrera le retour de ses cendres.

En 1848, elle élira comme président de la République Louis-Napoléon Bonaparte, auteur d'un essai sur *L'Extinction du paupérisme*, et bientôt du coup d'État du 2 décembre 1851.

Brève – quinze ans –, la séquence napoléonienne s'inscrit ainsi de manière contradictoire dans la longue durée de l'âme et de la politique françaises.

2

L'ÉCHO DE LA RÉVOLUTION

1815-1848

Quel régime pour la France ?

Cette nation qui, en 1792, a déchiré le pacte millénaire qui en faisait une monarchie de droit divin réussira-t-elle, maintenant que l'« Usurpateur » n'est plus que le prisonnier d'une île des antipodes où tous les souverains d'Europe sont décidés à le laisser mourir, à renouer le fil de son histoire après un quart de siècle – 1789-1814 – de révolutions, de terreurs et de guerres ?

Ou bien le pouvoir n'apparaîtra-t-il légitime qu'à une partie seulement de la nation, et la France continuera-t-elle d'osciller d'un régime à l'autre, incapable de trouver la stabilité institutionnelle et la paix civile ?

C'est l'enjeu des trente-trois années qui vont de 1815 à 1848, longue hésitation comprise entre le bloc révolutionnaire et impérial et la domination politique de Louis Napoléon Bonaparte qui va durer vingt-deux ans, de 1848 à 1870.

C'est comme si, de 1815 à 1848, des répliques du grand tremblement de terre révolutionnaire venaient périodiquement saper les régimes successifs, qu'il s'agisse de la restauration monarchique

– drapeau blanc et Terreur blanche, fleur de lys et règne des frères de Louis XVI, Louis XVIII et Charles X, renversée en juillet 1830 – ou bien de la monarchie bourgeoise – drapeau tricolore et roi citoyen, Louis-Philippe d'Orléans, fils de régicide, combattant de Jemmapes, balayé lui aussi par une révolution, en février 1848, donnant naissance à une fugace deuxième République qui choisit pour président un Louis-Napoléon Bonaparte élu au suffrage universel !

Parmi les élites de cette France de la Restauration, puis de la monarchie orléaniste dite de Juillet, il existe des « doctrinaires » libéraux.

Après les « dérapages » révolutionnaires et la dictature impériale, ils voudraient voir naître une France pacifique et sage gouvernée par une monarchie constitutionnelle, retrouvant ainsi les projets des années 1790-1791.

Ces hommes – Benjamin Constant, François Guizot – sont actifs, influents ; ils seront même au pouvoir aux côtés de Louis-Philippe d'Orléans.

Comme Constant, ils affirment : « Le but des modernes est la sécurité dans les jouissances privées, et ils nomment liberté les garanties accordées par les institutions à ces jouissances... Par liberté, j'entends le triomphe de l'individualité tant sur l'autorité qui voudrait gouverner par le despotisme que sur les masses qui réclament le droit d'asservir la minorité à la majorité » (1819).

Guizot inspire les lois de 1819 sur la presse, qui précisent dans leur préambule que « la liberté de presse, c'est la liberté des opinions et la publication des opinions. Une opinion quelle qu'elle soit ne devient pas criminelle en devenant publique. »

Les journaux peuvent désormais paraître sans autorisation préalable. Les jurys d'assises sont seuls juges des délits de presse.

Après les années de censure et de propagande napoléoniennes, ainsi surgissent, en pleine Restauration, des journaux d'opinion qui vont peser sur la vie politique. Et la bataille pour la liberté de la presse devient dès lors un élément majeur du débat public. Un tournant est pris à l'initiative des libéraux :

« La liberté de la presse, c'est l'expansion et l'impulsion de la vapeur dans l'ordre intellectuel, écrit Guizot, force terrible mais vivifiante qui porte et répand en un clin d'œil les faits et les idées sur toute la face de la terre. J'ai toujours souhaité la presse libre ; je la crois, à tout prendre, plus utile que nuisible à la moralité publique. »

Ce mouvement que les pouvoirs vont tenter d'entraver est cependant irrésistible, parce que l'aspiration à la liberté, après la discipline militaire d'un Empire engagé en permanence dans la guerre, est générale.

C'est ainsi que le romantisme, qui marquait par de nombreux aspects une rupture avec l'esprit des Lumières et le triomphe de la Raison, et donc un retour à la tradition, à la sensibilité, rencontre le « libéralisme ».

L'évolution de Victor Hugo, poète monarchiste tout d'abord – il célèbre le sacre de Charles X en 1825 –, le porte à écrire dans la préface de *Cromwell*, en 1827 :

« La liberté dans l'art, la liberté dans la société, voilà le double but auquel doivent tendre d'un même pas tous les esprits conséquents et logiques. Nous voilà sortis de la vieille formule sociale.

Comment ne sortirions-nous pas de la vieille formule poétique ? »

Phénomène générationnel : en 1827, les deux tiers de la génération nouvelle sont nés après 1789, et la majorité du corps électoral (100 000 notables) avait moins de vingt ans lors de la prise de la Bastille.

Cependant, ces « libéraux », ces « modernes », qui ont un projet politique clair, des convictions arrêtées, ne parviennent pas, malgré leur proximité du pouvoir et l'influence qu'ils exercent, à l'emporter.

Un Bonaparte va sortir vainqueur de l'épisode 1815-1848.

Un empire va succéder à une monarchie qui s'était voulue « constitutionnelle » et à une république « conciliatrice ».

Des « journées révolutionnaires » se sont succédé, renversant des régimes en juillet 1830 et en février 1848, ou provoquant des heurts sanglants en 1831, 1832 et juin 1848.

Cet échec des « libéraux », cet écho de la révolution répercuté tout au long du XIXe siècle marquent profondément l'âme du pays et orientent son histoire.

De 1815 à 1848, la France n'a pas pris le tournant libéral, mais est restée une nation partagée en camps qui s'excluent l'un l'autre de la légitimité.

On le voit bien de 1815 à 1830. Les doctrinaires libéraux, les partisans de la prise en compte des conséquences politiques, sociales, économiques et psychologiques de la Révolution, sont constamment débordés par les ultraroyalistes sans obtenir pour autant l'appui des révolutionnaires « jacobins » ou des bonapartistes.

Une fois encore, la France élitiste, celle des « notables » du centre, est écrasée par les « extrêmes » qui les excommunient tout en se combattant, selon la règle : « Qui n'est pas avec moi totalement est contre moi ! »

Le réaliste Louis XVIII et les libéraux ont d'abord accepté, en 1814-1815, que la Terreur blanche massacre, que des bandes royalistes – les Verdet – se comportent en brigands, qu'on proscrive et qu'on assassine les généraux Brune et Ramel, qu'on fusille le maréchal Ney et le général de La Bédoyère.

Il faut peser les conséquences de cette politique terroriste de revanche et de vengeance royaliste, appliquée alors que le pays est encore occupé – jusqu'en 1818 – par des troupes étrangères.

Elle achève de déchirer le lien entre le peuple et les Bourbons.

Ils apparaissent comme la « réaction », la « contre-révolution », le « parti de l'étranger ». Certes, le monde paysan (75 % de la population) reste silencieux, mais, dans les villes et d'abord à Paris – 700 000 habitants –, la rupture est consommée entre une grande partie de la jeunesse des « écoles » et le camp « légitimiste ».

Durant la Restauration, ce dernier joue son avenir.

Plus profondément encore, le retour en force du clergé catholique et d'associations secrètes liées à l'Église qui contrôlent l'esprit public – Chevaliers de la foi, Congrégation – dresse contre le « parti prêtre » une partie de l'opinion.

L'Université, placée sous l'autorité du grand maître, monseigneur de Frayssinous, bientôt ministre des Cultes, est mise au pas.

Les Julien Sorel grandissent dans ce climat politique d'ordre moral, de surveillance et de régression.

L'âme de la France, déjà pénétrée par les idées des Lumières, se rebiffe contre cette « conversion » forcée que pratiquent missions et directeurs de conscience.

L'anticléricalisme français qu'on verra s'épanouir dans la seconde moitié du siècle trouve une de ses sources dans ces quinze années de restauration et de réaction.

Cette politique ultra ne peut changer qu'à la marge (dans la période 1816-1820) sous l'influence du ministre Decazes, qui a la confiance de Louis XVIII.

Les ultraroyalistes la condamnent, pratiquent la politique du pire : « Il vaut mieux des élections jacobines que des élections ministérielles », disent-ils.

Ils favorisent ainsi l'élection du conventionnel Grégoire, ancien évêque constitutionnel, partisan de la Constitution civile du clergé.

Or « jacobins » et bonapartistes se sont organisés en sociétés secrètes (sur le modèle de la Charbonnerie, ou dans la société « Aide-toi, le Ciel t'aidera »). Ils complotent.

Le 13 février 1820, le bonapartiste Louvel assassine le duc de Berry, fils du comte d'Artois, seul héritier mâle des Bourbons.

La France se trouve ainsi emportée dans un cycle politique où s'affrontent tenants de la réaction, ultraroyalistes et révolutionnaires. À peine entrouverte, la voie étroite de la monarchie constitutionnelle se referme.

Quand il déclare, parlant de Decazes : « Les pieds lui ont glissé dans le sang », Chateaubriand exprime l'état d'esprit ultra, mettant en accusation les « modérés », les royalistes tentés par le libéralisme.

« Ceux qui ont assassiné monseigneur le duc de Berry, poursuit-il, sont ceux qui, depuis quatre ans, établissent dans la monarchie des lois démocratiques, ceux qui ont banni la religion de ses lois, ceux qui ont cru devoir rappeler les meurtriers de Louis XVI, ceux qui ont laissé prêcher dans les journaux la souveraineté du peuple et l'insurrection. »

La mort de Louis XVIII en 1824, le sacre de Charles X à Reims en 1825 creusent encore le fossé entre les « deux France ».

La répression des menées jacobines et bonapartistes (exécution en 1827 des quatre sergents de La Rochelle qui ont comploté contre la monarchie), les nouvelles lois électorales – un double vote est accordé aux plus riches des électeurs – révoltent la partie de l'opinion qui reste attachée au passé révolutionnaire et napoléonien.

Elle ne peut accepter le gouvernement du duc de Polignac, constitué en août 1829, au sein duquel se retrouvent le maréchal Bourmont et La Bourdonnais.

Une nostalgie patriotique l'habite. Elle a été émue par la mort de Napoléon à Sainte-Hélène, le 5 mai 1821.

Elle lit le *Mémorial de Sainte-Hélène*, publié en 1823, qui connaît d'emblée un immense succès. À gauche, l'historien Edgar Quinet peut écrire :

« Lorsque, en 1821, éclata aux quatre vents la formidable nouvelle de la mort de Napoléon, il fit de nouveau irruption dans mon esprit... Il revint hanter mon intelligence, non plus comme mon empereur et mon maître absolu, mais comme un spectre que la mort a entièrement changé... Nous revendiquions sa gloire comme l'ornement de la liberté. »

Et Chateaubriand de noter lucidement :

« Vivant, Napoléon a manqué le monde ; mort, il le conquiert. »

Dans ce climat, le ministère Polignac-Bourmont-La Bourdonnais apparaît comme une provocation ultraroyaliste.

Il manifeste la fusion qui s'opère dans les esprits entre les Bourbons, l'étranger et donc la trahison, et, réciproquement, entre leurs adversaires et le patriotisme. Dès lors, le pouvoir royal n'est plus légitime, et rejouent toutes les passions de la période révolutionnaire.

Le Journal des débats écrit ainsi : « Le lien d'amour qui unissait le peuple au monarque est brisé. »

Quelques jours plus tard, Émile de Girardin fait de Polignac « l'homme de Coblence et de la contre-révolution ». Bourmont est le déserteur de Waterloo et La Bourdonnais, le chef de la « faction de 1815, avec ses amnisties meurtrières, ses lois de proscription et sa clientèle de massacreurs méridionaux »... « Pressez, tordez ce ministère, il ne dégoutte qu'humiliation, malheurs et chagrins ! »

Bertin l'aîné, propriétaire du *Journal des débats*, sera condamné à six mois de prison pour la publication de ces articles.

La réaction se déploie : la pièce de Victor Hugo, *Marion Delorme*, est interdite, et une commission examine les cours donnés par Guizot et Victor Cousin.

L'affrontement avec le pouvoir est proche.

Le 3 janvier 1830, Thiers, Mignet et Armand Carrel fondent le journal *Le National*.

On mesure alors combien le patriotisme est le ressort de l'opposition.

C'est la question nationale qui met l'âme française en révolte.

Mais la confrontation est en fait limitée à Paris.

La France paysanne reste calme, presque indifférente à ces déchaînements politiques qui, s'ils vont prendre la forme de journées révolutionnaires – les 27, 28 et 29 juillet 1830 –, et, à ce titre, s'inscrivent dans la « mythologie révolutionnaire », marquent davantage un glissement de pouvoir qu'une profonde rupture.

Les acteurs de ces journées de juillet ne sont en effet qu'une minorité, une nouvelle génération romantique (la « bataille » d'*Hernani* est de 1830, et c'est cette année-là que Stendhal écrit *Le Rouge et le Noir*). Les inspirateurs politiques sont des « libéraux » (Thiers, La Fayette, Guizot) qui vont réussir à imposer leur candidat au trône : Louis-Philippe d'Orléans.

Ils réalisent ainsi avec le fils ce que d'autres « modérés » (déjà La Fayette) avaient tenté, en 1790-1791, avec le père, Philippe Égalité.

Ils veulent instaurer une monarchie constitutionnelle qui arborera les trois couleurs. Le monarque sera un roi citoyen.

Le peuple, utilisé et dupé, doit se contenter de cette mutation politique qui ne change rien à sa condition.

Après ces « trois glorieuses » journées de juillet 1830, Stendhal écrira :

« La banque est à la tête de l'État, la bourgeoisie a remplacé le faubourg Saint-Germain, et la banque est la noblesse de la classe bourgeoise. »

Et le banquier Laffitte de conclure : « Le rideau est tombé, la farce est jouée. »

Mais, dans la mémoire de la nation – dans l'âme de la France –, ces journées de 1830 sont l'un des maillons qui confortent et enrichissent la légende de la France révolutionnaire dont Paris, qui s'est couvert de six mille barricades, est le cœur.

Une source qui n'est pas tarie peut jaillir à nouveau avec d'autant plus de force qu'elle a été détournée, contenue.

Dans ce deuxième tiers du XIXᵉ siècle, l'histoire de France semble bégayer.

Paris a pris les armes en juillet 1830 pour chasser Charles X et les légitimistes, mais en février 1848 les émeutiers parisiens contraignent les orléanistes et Louis-Philippe, vainqueurs en 1830, à l'exil.

Par leur éclat symbolique – Paris se couvre de barricades, Paris s'insurge, Paris compte ses morts et les charge sur les tombereaux, allumant partout dans la capitale l'incendie de la révolte –, ces journées révolutionnaires qui voient surgir puis disparaître la monarchie bourgeoise de Louis-Philippe marquent l'importance, pour le destin français, de ces dix-huit années.

Car ce qui s'est scellé, entre 1830 et 1848, c'est le sort final de la monarchie.

Les journées de 1830 ont signé l'échec du retour à l'Ancien Régime, tenté avec plus ou moins de rigueur par Louis XVIII et Charles X.

Mais la France ne veut ni d'une charte octroyée, ni d'un roi sacré à Reims, ni d'un drapeau à fleurs de lys cachant sous ses plis le tricolore de Valmy et d'Austerlitz.

Les monarchistes partisans d'une royauté constitutionnelle l'ont compris. Ce sont eux qui provoquent, puis confisquent, les journées révolutionnaires de juillet 1830.

Ces idéologues – des historiens (Guizot, Thiers, Mignet) et des banquiers (Laffitte, Perier) – veulent renouer avec la « bonne Révolution », celle des années 1790-1791, quand les modérés espéraient stabiliser la situation et instaurer avec Louis XVI une monarchie constitutionnelle.

Leur grand homme, le garant militaire de leur tentative, leur glorieux porte-drapeau, c'était La Fayette, et c'est encore lui qui, en juillet 1830, présente à la foule le « roi patriote », Louis-Philippe.

Cette monarchie-là se drape dans le bleu-blanc-rouge.

Si elle parvient à s'enraciner, alors le sillon commencé avec la fête de la Fédération en 1790, puis interrompu par la Terreur et détourné au profit de Bonaparte, pourra enfin être continué.

Thiers, Guizot, qui gouverneront si souvent de 1830 à 1848, rêvent de ce pouvoir à l'anglaise, avec des Chambres élues au suffrage censitaire, un roi qui règne mais ne gouverne pas.

Malheureusement pour eux, Louis-Philippe veut régner et ne joue pas le jeu du Parlement.

Certes, le « roi citoyen » rompt avec l'idée d'un retour à l'Ancien Régime. Cela suffit d'ailleurs à dresser contre lui tous les monarchistes légitimistes.

Mais, naturellement, les républicains et les révolutionnaires qui découvrent que leur héroïsme de juillet 1830 n'a servi qu'à installer sur le trône un monarque, à la place d'un autre, le haïssent.

Des régicides issus de toutes les oppositions essaieront à six reprises de le tuer. Et on visera aussi son fils, le duc d'Aumale.

On ignorera les réussites d'une monarchie qui conclut une entente cordiale avec l'Angleterre et ne se lance dans aucune aventure guerrière.

Elle achève de conquérir l'Algérie et de la pacifier.

Elle jette les bases d'un empire colonial.

Elle unifie le pays en créant soixante mille kilomètres de chemins vicinaux, 4 000 kilomètres de voies ferrées, qui contribuent à renforcer la centralisation de la nation.

Paris est la tête où tout se décide, où tout se joue.

Les campagnes restent soumises à leurs nobles légitimistes, méprisants envers ce roi boutiquier, inquiets de voir Guizot exiger des communes qu'elles créent une école primaire, et de certains départements, qu'ils bâtissent une école normale d'instituteurs.

Cet enseignement n'est encore ni obligatoire, ni gratuit, ni laïque, mais il ouvre le chemin à l'Instruction publique.

Cependant, la monarchie constitutionnelle reste une construction fragile, et son renversement en février 1848 clôt, dans l'histoire nationale, le chapitre de la royauté.

On ne confiera jamais plus le pouvoir à un souverain issu de l'une ou l'autre des branches de la dynastie, qu'il arbore les fleurs de lys ou les trois couleurs.

Ce que le peuple de France rejette depuis 1789, ce n'est point tant le gouvernement d'un seul homme – Napoléon fut le plus autoritaire, le plus dictatorial des souverains – que l'accession au trône par filiation héréditaire.

Même le fils de Napoléon ne peut accéder au trône. Le roi de Rome n'est que le sujet d'une pièce mélodramatique qui sera écrite beaucoup plus tard.

Ce ne sont plus ni les liens de sang ni le sacre qui légitiment le pouvoir, mais l'élection.

En 1848, quand Louis-Philippe part en exil, alors que Paris ignore que le roi a abdiqué en faveur de son petit-fils, le comte de Paris, une nouvelle période de l'histoire de France commence.

Les nostalgies monarchiques – légitimistes ou orléanistes – pourront bien perdurer, susciter d'innombrables manœuvres politiques, elles ne donneront plus naissance qu'à des chimères et à des regrets.

Des quatre modèles politiques qui ont composé la combinatoire institutionnelle de la France à partir de 1789 – monarchie d'Ancien Régime, monarchie constitutionnelle, empire, république –, il ne restera plus, après l'échec de la monarchie constitutionnelle, que les deux derniers.

C'est dire l'importance du sort de cette monarchie louis-philipparde pour l'orientation de toute l'histoire nationale à partir des années 1830-1848. En fait, se mettent alors en place de nouvelles forces sociales et politiques, des manières de penser – des idéologies – qui coloreront l'âme de la France durant le dernier tiers du XIXe siècle et tout le XXe.

De nouveaux mots apparaissent : socialisme, socialistes, communisme, prolétaires.

Surtout, s'opère la fusion entre ces « prolétaires », ces ouvriers, et le mouvement républicain. On se souvient de la conspiration des Égaux de Babeuf, du Comité de salut public.

Pour les notables, les propriétaires, ce sont là des « monstruosités » dont il convient d'éviter à tout prix le retour.

Pour d'autres – les républicains révolutionnaires –, c'est un exemple, une voie à prolonger. Au bout, il y a la république sociale fondée sur l'égalité.

L'un de ces idéologues – Laponneraye – écrira en 1832 : « Il s'agit d'une république où l'on ne connaîtra point la distinction de bourgeoisie et de peuple, de privilèges et de prolétaires, où la liberté et l'égalité seront la propriété de tous et non le monopole exclusif d'une caste. »

Dans les campagnes, chez les idéologues libéraux, on craint ces « partageux ». Et ce d'autant plus qu'on a pu mesurer en 1830 la force révolutionnaire de Paris.

Un notable libéral, Rémusat, avouera : « Nous ne connaissions point la population de Paris, nous ne savions pas ce qu'elle pouvait faire. »

On s'inquiète de la prolifération des sociétés secrètes, de la liaison entre « républicains déterminés » et prolétaires.

En 1831, les canuts lyonnais se révoltent. Les « coalitions » (grèves) se multiplient.

La condition ouvrière est en effet accablante : « Le salaire n'est que le prolongement de l'esclavage », résume Chateaubriand. La misère, le chômage, la faim, l'absence de protection sociale, le travail des enfants et la mortalité infantile sont décrits par toutes les enquêtes. Un christianisme social – Lamennais, Lacordaire – se penche sur cette situation insoutenable.

Ces foules « misérables », entrant en contact avec les républicains, modifient la donne politique.

Cette rencontre entre le social et la République est encore une exception française.

Après la révolte des canuts, on peut lire sous la plume de Michel Chevalier : « Les événements de Lyon ont changé le sens du mot politique ; ils l'ont élargi. Les intérêts du travail sont décidément entrés dans le cercle politique et vont s'y étendre de plus en plus. »

Cette présence ouvrière et sa jonction avec les républicains terrorisent les notables, les modérés, les propriétaires – et, à leur suite, la paysannerie.

« La sédition de Lyon, écrit Saint-Marc de Girardin dans *Le Journal des débats*, a révélé un grave secret, celui de la lutte intestine qui a lieu dans la société entre la classe qui possède et celle qui ne possède pas. Notre société commerciale et industrielle a sa plaie, comme toutes les autres sociétés : cette plaie, ce sont ses ouvriers. Les barbares qui menacent la société sont dans les faubourgs de nos villes manufacturières ; c'est là qu'est le danger de la société moderne. Il ne s'agit ici ni de république, ni de monarchie, il s'agit du salut de la société. »

Et Girardin de lancer un appel à l'union :

« Républicains, monarchistes de la classe moyenne, quelle que soit la diversité d'opinion sur la meilleure forme de gouvernement, il n'y a qu'une voie portant sur le maintien de la société ! »

Mais ce discours d'ordre, d'intérêt, de raison, prônant l'unité de tous ceux dont les intérêts sociaux convergent, même si leurs préférences politiques divergent, se heurte à la passion républicaine, à la nostalgie révolutionnaire ravivée par la misère, la répression, l'autoritarisme d'un pouvoir qui ne réussit pas ou ne tient pas à s'ouvrir, à concéder des avantages aux classes les plus démunies, mais qui, au contraire, avec Guizot en 1836, s'insurge contre les revendications des « prolétaires » :

« Nous sommes frappés de cette soif effrénée de bien-être matériel et de jouissances égoïstes qui se manifeste surtout dans les classes peu éclairées. »

Ce sont en fait, selon les mots de Victor Hugo, les « misérables » qui « meurent sous les voûtes de pierre » des caves des villes ouvrières.

Et Guizot, pour contenir cette révolte qui couve, de suggérer :

« Croyez-vous que les idées religieuses ne sont pas un des moyens, le moyen le plus efficace, pour lutter contre ce mal ? »

Cette attitude répressive et aveugle du pouvoir, que les « scandales » et la corruption délégitiment un peu plus, favorise l'amalgame entre républicains, mouvement, revendications sociales et même anticléricalisme. C'est là un trait majeur de notre histoire.

Et puisque les revendications partielles ne sont pas entendues, que le souvenir de la Révolution revient hanter les mémoires, le « mouvement » remet en cause toute structure de la société, comme le perçoit bien Tocqueville, qui note en janvier 1848 :

« Il se répand peu à peu, dans le sein des opinions des classes ouvrières, des idées qui ne visent pas seulement à renverser telles lois, tel ministère, tel gouvernement, mais la société même, à l'ébranler des bases sur lesquelles elle repose aujourd'hui. »

Et d'ajouter :

« Le sentiment de l'instabilité, ce sentiment précurseur des révolutions, existe à un degré très redoutable dans ce pays. »

Si la situation est à ce point menaçante en janvier 1848, c'est que, tout au long de ces dix-huit années, le mouvement républicain, social et révolutionnaire s'est renforcé.

D'abord, les émeutes parisiennes – mais la révolte des canuts de 1831 a déjà fissuré à elle seule la société – naissent du sentiment que les protagonistes des journées de juillet 1830 ont été bernés, spoliés de leur victoire.

Cette manipulation politique réussie par Thiers, La Fayette et Louis-Philippe conforte l'opinion « avancée » dans l'idée que les « élites » trompent le peuple et se jouent de lui. Qu'à l'hypocrisie de la politique il faut opposer la brutale « franchise » de l'insurrection armée.

En 1831, 1832, 1834, puis en 1839, des groupes d'insurgés dressent des barricades à l'occasion de l'enterrement d'un général républicain (Lamarque, juin 1832) ou pour tenter de s'emparer de l'Hôtel de Ville de Paris en 1839 (Blanqui et Barbès).

Paris est le creuset où, émeute après émeute, se perpétue et se forge la légende révolutionnaire.

C'est le temps de la « grandeur de l'idéologie » (Fourier, Proudhon, Pierre Leroux), de l'alliance des révolutionnaires avec certains écrivains (Sue, Hugo, Sand, Lamartine).

Les opinions sont radicales : « La propriété c'est le vol », décrète Proudhon. Mais le mouvement insurrectionnel et politique reste faible. La répression conduite par Thiers ou Guizot est implacable : un « massacre » est perpétré rue Transnonain, le 14 avril 1834, par Bugeaud, qui plus tard sera gouverneur de l'Algérie (1840).

On voit ainsi s'entrelacer en des nœuds complexes mais serrés les traditions révolutionnaires, le recours à la violence, le rôle de Paris, la liaison entre républicains et ouvriers (surtout parisiens). Et, malgré le recours à la force armée, la monarchie constitutionnelle paraît de plus en plus incapable de contrôler une situation qui inquiète les possédants.

Depuis 1836, un Bonaparte s'est campé dans le paysage politique. Ce Louis-Napoléon, neveu de l'Empereur, a tenté un coup de force à Strasbourg (1836), un autre à Boulogne (1840). Emprisonné, il s'évade du fort de Ham en 1846.

On voit ainsi réapparaître l'un des quatre modèles institutionnels de la France du XIXe siècle. Louis-Napoléon Bonaparte propose en effet une « synthèse » :

« L'esprit napoléonien peut seul concilier la liberté populaire avec l'ordre et l'autorité. »

Il publie *De l'Extinction du paupérisme* (1844) :

« La gangrène du paupérisme périrait avec l'accès de la classe ouvrière à la prospérité », y affirme-t-il.

S'esquisse là, adossé à la légende napoléonienne, un « national-populisme » autoritaire, incarné mais recherchant le sacre du peuple et non d'abord la légitimité par la filiation dynastique, même si elle tient lieu de point d'appui essentiel.

La situation du pays est incertaine.

« Il se dit que la division des biens jusqu'à présent dans le monde est injuste…, que la propriété repose sur des bases qui ne sont pas des bases équitables, note Tocqueville. Et ne pensez-vous pas que quand de telles opinions descendent profondément dans les masses, elles amènent tôt ou tard les révolutions les plus redoutables ? »

Or, pour y faire face, le national-populisme autoritaire n'est-il pas mieux armé que la monarchie constitutionnelle ?

On se souvient de Bonaparte brandissant le glaive de la force et de la loi contre tous les fauteurs de désordre, garantissant les fortunes à la fois contre les partisans de l'Ancien Régime et les jacobins.

Ainsi resurgit de la mémoire française cette solution « bonapartiste », puisque la monarchie constitutionnelle est un système « bloqué », freiné sur la voie parlementaire par l'autoritarisme du monarque – ce qui déçoit ses partisans modérés – et incapable de se doter d'un soutien populaire.

Il n'y a plus alors que deux issues : la république ou le bonapartisme.

La crise que provoque le doublement du prix du pain à la suite des mauvaises récoltes de 1846 est donc essentiellement politique : face à la montée des oppositions, le pouvoir refuse d'ouvrir le « système », de faire passer le nombre des électeurs de 240 000 à 450 000.

Il se coupe ainsi de ceux (Thiers) qui souhaitent élargir la base de la monarchie constitutionnelle pour la préserver, cependant que ses adversaires républicains et révolutionnaires, de leur côté, se renforcent. Presse « communiste », troubles dans les villes ouvrières, émeutes de la misère : les signes de tension se multiplient.

Des anciens ministres sont accusés de concussion. Un modéré – Duvergier de Hauranne – peut écrire :

« Tous ces scandales, tous ces désordres, ne sont pas des accidents, c'est la conséquence nécessaire, inévitable, de la politique perverse qui nous régit, de cette politique qui, trop faible pour asservir la France, s'efforce de la corrompre. »

Dès le mois de janvier 1847, une « campagne de banquets » mobilise l'opinion modérée sur le thème des « réformes ». L'un de ces banquets, prévu à Paris le 14 février 1848, est interdit. Un manifeste réformiste est lancé.

Il ne s'agit pas de renverser Louis-Philippe, mais de le contraindre à renvoyer Guizot, à élargir le corps électoral, à donner vigueur et perspective à la monarchie constitutionnelle.

Mais Paris, quand il voit les corps des manifestants tués au cours d'une fusillade avec la troupe, s'enflamme.

La ville est celle des minorités révolutionnaires. Ce sont elles qui agissent, débordant les réformistes.

L'Hôtel de Ville est envahi. Lamartine et les manifestants proclament la république le 24 février.

Ce qui avait été manqué en juillet 1830 réussit en février 1848. Par un bel effet d'éloquence, Lamartine parvient à faire écarter le drapeau rouge que les manifestants voulaient d'abord imposer à « leur » république. Elle restera « tricolore ». Mais on mesure, à l'ambiguïté et à la complexité de ces événements, que rien n'est tranché.

La révolution de Février n'est qu'une émeute de plus qui a réussi. Ce succès est dû au fait que la France rurale est restée passive, que les forces de l'ordre ont été hésitantes, et que l'assise sociale et politique du pouvoir s'est divisée.

Dans le même temps, cette « révolution » entre dans le légendaire national. La république et la révolution sont associées dans la reconstruction de l'événement. Dans cette « imagerie », il a suffi au peuple de se révolter, de dresser des barricades dans Paris, pour l'emporter sur le pouvoir.

48

Quel peut être le destin de cette république officiellement proclamée le 26 février 1848 et née d'une révolution ambiguë ?

Elle est la deuxième, et elle fait resurgir tous les souvenirs de la Grande Révolution et de la Ire République, celle de 1792. Mais son sort sera scellé avant la fin de l'année, puisque le 10 décembre 1848 Louis-Napoléon Bonaparte en sera élu président par 5 434 000 voix.

Les autres candidats – Cavaignac, Ledru-Rollin, Raspail et Lamartine – rassemblent respectivement 1 448 000, 371 000, 37 000, et, pour le dernier, Lamartine, le héros de Février, celui qui a réussi à maintenir le drapeau tricolore... 8 000 voix !

C'est une période charnière que ces dix mois de l'année 1848.

Ils dessinent une fresque politique qui sera souvent copiée dans l'histoire nationale, parce qu'elle met en jeu des forces et des idées qui resteront à l'œuvre durant le reste du XIXe et tout le XXe siècle.

Au cours de ces dix mois, les illusions de Février sont déchirées.

Deux mesures capitales permettent ce retour à la réalité.

D'abord, sous la pression populaire, et parce qu'il faut bien satisfaire ces ouvriers, ces partisans de la république sociale qui, armés, manifestent, le gouvernement crée pour les chômeurs des ateliers nationaux.

Les chômeurs y percevront un salaire.

L'État prend ainsi en charge l'assistance sociale, en même temps que des lois fixent la durée quotidienne maximale du travail à dix heures à Paris, à onze heures en province, puis à douze heures sur l'ensemble du territoire national.

Il faut payer ces « ouvriers » qu'on n'emploie guère et qui deviennent une masse de manœuvre réceptive aux idées « socialistes » ou bonapartistes.

C'est en même temps un abcès de fixation. Il suffira de le vider pour que soit brisée l'avant-garde, écho de ce « printemps des peuples » qui fait souffler le vent de la révolution sur l'Europe entière.

La seconde mesure, décisive, est l'instauration, le 5 mars 1848, du suffrage universel (masculin).

Le droit de vote est accordé à tous les Français dès lors qu'ils ont atteint vingt et un ans.

Innovation capitale qui va devenir le patrimoine de toute la nation.

Mesure anticipatrice, comparée aux régimes électoraux en vigueur dans les autres nations européennes.

Au lieu de 250 000, la France compte désormais dix millions d'électeurs, dont les trois quarts sont des paysans et plus de 30 %, des illettrés.

Les « révolutionnaires », les « républicains avancés », qui se proclament l'« avant-garde », comprennent que le suffrage universel va se retourner contre eux.

Ils connaissent le conservatisme des campagnes, le poids des notables sur les paysans, le rôle qu'y joue l'Église.

Ils manifestent donc à Paris pour tenter de faire reculer la date des élections.

Paradoxe : le peuple est craint par ceux qui prétendent défendre ses intérêts.

Le suffrage universel devient l'arme des « conservateurs » contre les « progressistes » !

Les élections sont fixées au 25 avril 1848, malgré les manifestations des « révolutionnaires ». Et les « modérés » peuvent brandir devant les électeurs rassemblés le « spectre rouge », la menace des « partageux », celle de la dictature et du retour de la Terreur, comme en 1793-1794.

L'Assemblée constituante élue ne compte qu'une centaine de « socialistes » sur près de neuf cents sièges. La République a accouché d'une Assemblée conservatrice et orléaniste. Le pouvoir exécutif se donne pour chef le général Cavaignac, et des scrutins complémentaires permettent la désignation de Thiers, de Proudhon et de... Louis-Napoléon Bonaparte.

Cette Assemblée régulièrement élue au suffrage universel représentant, contre les minorités révolutionnaires, le « pays réel », peut, maintenant qu'elle détient le pouvoir légal, supprimer les ateliers nationaux – pourquoi verser un franc par jour à des chômeurs ? –, viviers de la contestation, symboles d'une république sociale dont la France ne veut pas.

L'annonce de la fermeture des ateliers – les ouvriers n'ont le choix qu'entre le licenciement, le départ vers la Sologne pour assécher les marais et l'engagement dans l'armée – provoque l'émeute.

Ces journées de juin 1848 – du 22 au 26 – sont une véritable guerre sociale, opposant l'est de Paris, qui se couvre de barricades, et le Paris de l'Ouest, d'où partent les troupes de ligne.

Celles-ci vont perdre un millier d'hommes, contre 5 000 à 15 000 chez les insurgés, fusillés le plus souvent. Quinze mille prisonniers seront déférés à des conseils de guerre, déportés en Algérie (5 000), les autres étant emprisonnés au terme de ces « saturnales de la réaction » (Lamennais).

« Les atrocités commises par les vainqueurs me font frémir », écrit Renan.

En même temps, les libertés – accordées en février – sont rognées : « Silence aux pauvres ! » lance encore Lamennais.

Pourtant, en août, on vote – toujours au suffrage universel – pour élire les conseils généraux, d'arrondissement et municipaux.

Le peuple s'exprime, apprend à choisir, à peser par le scrutin sur les décisions.

Ambiguïté de cette République qui massacre ceux qui veulent aller au-delà des limites fixées par les notables, mais qui apprend au peuple les règles de la démocratie !

Ainsi se façonne l'âme française.

Les « prolétaires », les révolutionnaires, mesurent que la république aussi peut être conservatrice et durement répressive. Leur méfiance envers le suffrage universel s'accroît. Ils découvrent le *Manifeste du parti communiste*, publié par Marx et Engels à Londres le 24 février 1848.

Ils vont se persuader que les « avant-gardes » doivent choisir pour le peuple, y compris même contre les résultats du suffrage universel.

Et ce d'autant plus que, aux élections du 10 décembre 1848, Louis-Napoléon Bonaparte écrase tous les autres candidats, à commencer par le général « républicain » Cavaignac, qui a conduit la répression de juin.

En un tiers de siècle, de 1815 à 1848, les Français ont donc vu se succéder à la tête de la nation une monarchie légitimiste, une monarchie constitutionnelle, une république dont le président est un Bonaparte, neveu de l'empereur Napoléon Ier !

Les Français ont voulu ces changements ou les ont laissé faire. Ils ont usé de la violence ou du bulletin de vote pour les susciter.

Mais ceux qui ont pris part aux journées révolutionnaires n'ont représenté que des minorités.

Rien de comparable au mouvement qui avait embrasé le pays en 1789 et l'avait soulevé en 1792.

Peu à peu, acquérant une expérience politique qu'aucun autre peuple au monde ne possède à un tel degré, et qui fait de la France la nation politique par excellence, la majorité des Français aspire en fait à la paix civile.

Dans ses profondeurs, le peuple a découvert que le vote peut être un moyen pacifique de changer les choses, lentement et sans violences.

Ainsi, cette nation révolutionnaire qui périodiquement dresse dans Paris des barricades est aussi désireuse d'ordre.

Elle continue d'osciller, comme si après la gigantesque poussée révolutionnaire de 1789 elle n'avait pas encore recouvré son équilibre. Les journées d'émeutes – les révolutions – se répètent, les régimes se succèdent, mais, dans le même temps, elle ne souhaite plus retomber dans les violences généralisées.

À Paris, grand théâtre national, elle met en scène la révolution comme pour se souvenir de ce qu'elle a vécu.

Puis elle interrompt le spectacle et sort du théâtre aussi vite qu'elle y est entrée.

Elle veut, au fond, vivre tranquillement, jouir de ses biens, de son beau pays.

C'est cette réalité contradictoire qui caractérise, au mitan du XIXᵉ siècle, l'âme de la France.

3

RENOUVEAU ET EXTINCTION
DU BONAPARTISME

1849-1870

49

À partir de décembre 1848, la République est donc présidée par un Bonaparte que le peuple a élu au suffrage universel.

Peut-on imaginer que cet homme-là, symbole vivant de la postérité napoléonienne, incarnation de la tradition bonapartiste, se contentera d'un mandat de président de la République de quatre années, non renouvelable ?

Cependant, son entreprise – conserver le pouvoir au-delà de 1852, fût-ce par le recours au coup d'État, et peut-être proclamer l'Empire – paraît aléatoire et difficile.

Les élites politiques conservatrices sont désireuses de garder, par le moyen des Assemblées, la réalité du pouvoir. Elles sont favorables à un régime constitutionnel – monarchie ou république – dans lequel le président ou le monarque n'aura qu'une fonction de représentation.

Elles se défient d'un Bonaparte, élu d'occasion, qu'elles espèrent manœuvrer à leur guise.

Elles craignent davantage encore les « rouges », les partageux, ce peuple auquel on a dû accorder le droit de vote.

Elles aspirent à l'ordre.

Leur parti s'appellera d'ailleurs le parti de l'Ordre.

Mais Louis-Napoléon Bonaparte trouve aussi sur sa route ces « démocrates socialistes – « démocsoc » – qui se réclament de la Montagne et de 1793, qui aspirent à une république sociale et constitueront le parti des Montagnards, hostile à la fois au prince-président et au parti de l'Ordre.

C'est donc un jeu politique à trois qui va commencer dès le lendemain de l'élection de Louis-Napoléon Bonaparte à la présidence de la République.

Partie difficile, car il existe un quatrième joueur, le plus souvent sur la réserve, mais toujours sollicité par les trois partis – le bonapartiste, le parti de l'Ordre et les Montagnards : il s'agit du peuple.

Et puisqu'il y a suffrage universel, la bataille politique s'étend des villes aux campagnes, là où se concentre la majeure partie de la population.

Celui qui tient et convainc le monde paysan, celui-là peut imposer ses choix.

Le suffrage universel est ainsi un facteur d'unification politique de la nation, et, en même temps, il divise le monde paysan en partisans de l'un ou l'autre des trois « partis ».

Les paysans apporteront-ils toujours leurs voix à un descendant de Napoléon (ils viennent de le faire en décembre 1848), ou aux représentants des notables, ou encore seront-ils gagnés par les idées socialisantes des « démocrates socialistes », et suivront-ils les Montagnards ?

Les quatre années qui vont de décembre 1848 à décembre 1852, date de la proclamation du second Empire, sont décisives pour la vie politique nationale. C'est là, autour de la République, du suffrage universel, du conflit entre bonapartisme, parti de l'Ordre et Montagnards, que se précisent les lignes de fracture politiques de la société française.

L'âme de la France contemporaine y acquiert de nouveaux réflexes.

Les thèmes de l'homme providentiel – au-dessus des partis – et du coup d'État (celui que va perpétrer Louis-Napoléon Bonaparte) s'enracinent dans les profondeurs nationales.

Naturellement, la référence au passé pèse sur les choix. Marx qualifie ainsi le coup d'État du 2 décembre 1851 de « 18 Brumaire de Louis-Napoléon Bonaparte ».

Mais cette « répétition », cinquante-deux ans après la prise du pouvoir par Napoléon Bonaparte, peut-elle être autre chose qu'une farce, comme si l'histoire se parodiait, comme si Napoléon le Petit pouvait être comparé à Napoléon le Grand, et le républicain socialisant Ledru-Rollin, à Robespierre ?

Marx conclut à la « farce ».

Dans l'histoire nationale, les événements de ces quatre années n'en sont pas moins d'une importance majeure : ils suscitent des comportements politiques, des réactions « instinctives » qui détermineront les choix du pays.

Ainsi, alors que le pouvoir personnel de Louis-Napoléon est installé à l'Élysée, que quelques observateurs lucides craignent « une folie impériale » que « le peuple verrait tranquillement », les élections législatives du 13 mai 1849 marquent la constitution et l'opposition à l'échelle de la nation – et non plus seulement dans les villes – du parti de l'Ordre et du parti montagnard.

Deux blocs – on dira plus tard une droite et une gauche – se sont affrontés. Les résultats sont nets : le parti de l'Ordre – religion, famille, propriété, ordre – remporte 500 sièges à l'Assemblée législative, contre 200 aux Montagnards de Ledru-Rollin, et moins d'une centaine à un « centre ».

« La majorité – sur 750 sièges – est aux mains des ennemis de la République », note Tocqueville.

Mais le parti de l'Ordre n'est pas pour autant rassuré par cette victoire.

Les milieux ruraux ont été – fût-ce marginalement – pénétrés par les idées des Montagnards.

Dans le nord du Massif central – de la Vienne à la Nièvre et à la Saône –, dans les départements alpins (de l'Isère au Var) et dans l'Aquitaine (Lot-et-Garonne, Dordogne), les démocrates sociaux sont présents.

Les villes moyennes sont touchées.

Le parti de l'Ordre mesure qu'à partir de Paris – et des villes ouvrières – les idées socialistes se sont répandues par le biais du suffrage universel dans tout le territoire national.

Elles sont minoritaires, mais le germe en est semé.

Au sein du parti montagnard, on commence à croire que le socialisme peut vaincre pacifiquement grâce au suffrage universel. Des associations et des sociétés secrètes se constituent pour diffuser les idées « montagnardes » et organiser les « militants ».

Dès lors, il reste au parti de l'Ordre, majoritaire à l'Assemblée, à faire adopter un ensemble de lois qui interdiront la propagande socialiste (lois Falloux livrant l'enseignement à l'Église, lois restreignant la liberté de la presse).

L'élection de l'écrivain socialiste Eugène Sue (28 avril 1850) contre un conservateur conduit le parti de l'Ordre à voter, le 31 mai 1850, l'abrogation de fait du suffrage universel, les plus pauvres, par une série de dispositions, se voyant retirer le droit de vote.

Mais puisque la voie électorale est ainsi fermée, resurgissent dans la « Nouvelle Montagne » les idées de prise du pouvoir par les armes.

La fascination et la mystique de la révolution, de la « journée » révolutionnaire, des barricades, trouvent alors une nouvelle vigueur.

Cela ne concerne évidemment que des « minorités ». Mais le peuple constate qu'on le prive de ce droit de vote qu'il avait commencé à s'approprier.

Le parti de l'Ordre croit avoir remporté la mise contre les Montagnards. Fort de cette victoire, il s'oppose à toute révision constitutionnelle qui aurait permis à Louis-Napoléon, en 1852, de se présenter pour un nouveau mandat.

Les Montagnards ont voté en l'occurrence avec le parti de l'Ordre. Mais ils mêleront leurs voix à celles du parti bonapartiste pour s'opposer à la constitution d'une force militaire destinée à protéger l'Assemblée d'un coup d'État.

En fait, ces manœuvres politiciennes laissent Louis-Napoléon Bonaparte maître du jeu.

Le 13 novembre 1851, il peut proposer à l'Assemblée l'abrogation de la loi du 31 mai 1850 qui a aboli le suffrage universel.

L'Assemblée conservatrice repousse cette proposition, et le prince-président apparaît ainsi comme l'homme qui, contre les notables, mais aussi contre les rouges partageux, entend redonner la parole au peuple.

Il retrouve de cette manière l'une des sources du bonapartisme, qui veut tisser un lien direct avec la nation en se dégageant de l'emprise des partis.

Il dispose dans l'armée – épurée par ses soins – du soutien que lui apporte le « souvenir napoléonien ».

Et parce qu'il est au cœur de l'institution – à l'Élysée –, il va pouvoir préparer son coup d'État, exécuté le 2 décembre 1851, jour anniversaire d'Austerlitz.

Des députés, dont Thiers, sont arrêtés.

Ceux qui résistent et tentent de soulever le peuple parisien sont dispersés par la troupe, qui tire.

Le député Baudin est tué sur une barricade pour avoir montré au peuple comment on meurt pour 25 francs par jour, cette indemnité parlementaire que le peuple, spectateur, conteste.

Sur les boulevards, dans Paris, afin d'empêcher par la terreur l'extension de la résistance, les troupes de ligne ouvrent le feu sur la foule des badauds (trois à quatre cents morts).

La résistance est vive dans les départements pénétrés par les idées républicaines, ceux qui ont voté « rouge » en 1849. La répression est sévère : 84 députés expulsés, 32 départements en état de siège, 27 000 « rouges » déférés devant des commissions mixtes (tribunaux d'exception : un général, un préfet, un procureur), dix mille déportés en Algérie et en Guyane, des milliers d'internés et d'exilés.

Mais le suffrage universel est rétabli, et, le 20 décembre, 7 500 000 voix approuvent le coup d'État, contre 650 000 opposants. On compte un million et demi d'abstentions.

Un an plus tard, un nouveau plébiscite – 7 800 000 oui – permet à Louis-Napoléon, devenu Napoléon III, de rétablir l'Empire. Celui-ci est proclamé le 1er décembre 1852, cinquante-huit ans après le sacre du 2 décembre 1804.

C'est le renouveau du bonapartisme, mais aussi le début de son extinction.

Car la résistance au coup d'État et la rigueur de la répression marquent une rupture irréductible entre une partie du peuple et la figure de Bonaparte.

Certes, l'immense succès des plébiscites de 1851 et 1852 montre bien que le mythe demeure, que l'homme providentiel, la figure d'un empereur tirant sa légitimité du peuple consulté dans le cadre du suffrage universel continuent de fonctionner.

Mais les républicains ont une assise populaire.

La grande voix de Victor Hugo, l'exilé, va commencer de se faire entendre.

Le 2 décembre 1851 sera qualifié de « crime ».

Louis-Napoléon est un « parjure » que Marx désigne sous le nom de Crapulinsky.

Louis-Napoléon a beau répéter : « J'appartiens à la Révolution » et décréter la mise en vente de tous les biens immobiliers des Orléans, on sait aussi que les préfets ont reçu l'ordre, dès le 6 janvier 1852, d'effacer partout la devise « Liberté, Égalité, Fraternité ».

Et le ralliement de la plupart des conservateurs du parti de l'Ordre à l'Empire confirme que ce régime n'est pas au-dessus des « partis » : il est « réactionnaire ».

On le sait, même si on le soutient ou si on l'accepte par souci de paix civile.

Mais les républicains refuseront ce « détournement » du suffrage universel. Et, fruit de cette expérience, ils garderont une défiance radicale à l'endroit du plébiscite, de la consultation directe du peuple mise au service d'un destin personnel.

L'âme de la France contemporaine vient d'être profondément marquée. La République avait massacré les insurgés de juin 1848, ce qui avait conduit le « peuple » à choisir pour président Louis-Napoléon Bonaparte.

Après le coup d'État du 2 décembre 1851, il y a désormais, minoritaire mais résolu, un antibonapartisme populaire.

Ce Napoléon III, c'est Badinguet, Napoléon le Petit !

La colère et le mépris qu'il suscite renforcent le désir de République et le souvenir de la Révolution.

50

Au lendemain de la création du Second Empire, les Français ne croient pas à la longévité de ce régime né d'un coup d'État sanglant et que deux plébiscites ont légitimé.

L'âme de la France est une âme sceptique.

Depuis le 21 septembre 1792, les citoyens de cette nation « politique » ont vu se succéder la Ire République, le Directoire, le Consulat, l'Empire, une monarchie légitimiste, une monarchie orléaniste et constitutionnelle, la IIe République et enfin le Second Empire. Déclarations, Chartes, Actes additionnels, Constitutions ont tour à tour régenté la vie publique.

On a débattu, en 1789, dans les villages des cahiers de doléances, on a voté pour celui-ci ou pour celui-là, on a disposé du droit de vote, puis on l'a perdu, et on en a de nouveau bénéficié.

Le Français, si éprouvé par les changements politiques, est devenu prudent, attentiste.

Puisque la monarchie millénaire de droit divin s'est effondrée et que Louis XVI a été décapité, lui qui avait été sacré à Reims, qui peut croire qu'en ce bas monde un régime politique soit promis à la longue durée ?

Le sacre par le pape de Napoléon Ier n'a pas empêché l'Empereur d'être vaincu et de mourir en exil à Sainte-Hélène.

Et Charles X n'a pas durablement bénéficié de la protection divine, bien qu'il eût été lui aussi sacré à Reims.

Comment imaginer dès lors que ce Louis-Napoléon Bonaparte, même devenu Napoléon III, puisse régner plus longtemps que son oncle Napoléon Ier ?

Nul ne peut le concevoir.

On observe. On ne commente pas : trop d'argousins, trop de mouchards, trop de gendarmes. Trop de risques à prendre parti pour un régime dont on comprend bien qu'il est fragile, comme tous les régimes, et que viendra son tour de chanceler, de se briser.

Telle est alors l'âme de la France, qui, en soixante années, a subi tant de pouvoirs, entendu tant de discours, qu'elle baisse la tête et fait mine de se désintéresser des affaires publiques que gèrent ces messieurs les intelligents, les notables.

Or ceux-ci, précisément, ne croient guère à la longévité du Second Empire.

Guizot, qui exprime la pensée des milieux de la bourgeoisie libérale, déclare : « Les soldats et les paysans ne suffisent pas pour gouverner. Il y faut le concours des classes supérieures, qui sont naturellement gouvernantes. »

Tocqueville est tout aussi réservé sur l'avenir du régime quand il écrit en 1852 :

« Quant à moi qui ai toujours craint que toute cette longue révolution française ne finît par aboutir à un compromis entre l'égalité et le despotisme, je ne puis croire que le moment soit encore venu où nous devrions voir se réaliser définitivement ces prévisions, et, en somme, ceci a plutôt l'air d'une aventure qui se continue que d'un gouvernement qui se fonde. »

Il n'empêche : l'« aventurier » Louis-Napoléon, entouré d'habiles et intelligents complices – dont Morny, son demi-frère –, va régner de 1852 à 1870, soit sept ans de plus que Napoléon Ier, sacré en 1804 et définitivement vaincu en 1815 !

Cette longue durée du Second Empire et les transformations qui la caractérisent vont servir de socle à la fin du XIXe siècle et aux premières décennies du XXe.

Le Second Empire dit « autoritaire » est ainsi, durant quinze années – de 1852 à 1867 –, le moule dans lequel l'âme de la France prend sa forme contemporaine.

L'État centralisé – répressif, policier même – organise et régente la vie départementale, sélectionne les candidats aux élections.

Ces « candidatures » officielles bénéficient de tout l'appareil de l'État.

Le préfet devient pour de bon la clé de voûte de la vie locale sous tous ses aspects. Il fait régner l'« ordre » politique et moral. Il est le lien entre le pouvoir central – impérial – et toutes les strates de la bourgeoisie : celle qui vit de ses rentes, de la perception de ses fermages ; celle qui est, d'une certaine façon, l'héritière des « robins » : avocats, médecins et apothicaires, notaires, parfois tentée par un rôle politique, mais prudente et surveillée.

L'Empire n'aime pas les esprits forts, les libres penseurs.

D'ailleurs, aux côtés du préfet, l'évêque est, avec le général commandant la place militaire, le personnage principal. Il a la haute main sur l'enseignement, entièrement livré à l'Église. Les ordres religieux – au premier rang desquels les Jésuites – ont été à nouveau autorisés.

L'Empire est clérical.

La police et les confesseurs veillent aux bonnes mœurs.

Le réalisme de certains peintres (Manet, Courbet) est suspect. *Madame Bovary*, *Les Fleurs du mal*, sont condamnées par les tribunaux.

Les journaux sont soumis à l'autorisation préalable.

L'« homme de lettres » qui est perçu comme un opposant, un rebelle – ainsi Jules Vallès –, est réduit à la misère, voire à la faim. Il n'écrit pas dans les journaux, il ne peut enseigner – l'Église est là pour le lui interdire –, il remâche sa révolte. Il se souvient des espoirs nés en février 1848 et noyés dans le sang des journées de juin. Il rêve à de nouvelles journées révolutionnaires qui lui permettraient de prendre sa revanche.

On voit ainsi s'opposer deux France complémentaires mais antagonistes.

Une France « officielle », adossée aux pouvoirs de l'État, qui cherche dans l'Église, l'armée, la police, la censure, les moyens de contenir l'autre France.

Celle-ci est minoritaire, souterraine, juvénile, conduite parfois par le sentiment qu'elle ne peut rien contre la citadelle du régime à une sorte de rage désespérée.

L'hypocrisie du pouvoir, qui masque sa corruption et sa débauche sous le vernis des discours moralisateurs, révolte les « vieux » républicains révolutionnaires – ils avaient, pour les plus jeunes, une vingtaine d'années en 1848. Ils sont rejoints par des éléments des nouvelles générations, « nouvelles couches » elles aussi républicaines.

Mais, jusqu'aux années 1860, le pouvoir semble enfermé dans son autoritarisme. C'est Thiers qui, en 1864, parle au Corps législatif des « libertés nécessaires ».

Il reste aux opposants à s'enivrer, à vivre dans la « bohème », à clamer leur athéisme, leur anticléricalisme, leur haine des autorités.

Mais ils sont le pot de terre heurtant le pot de fer.

Car la France se transforme, et son développement sert le Second Empire.

C'est sous Napoléon III que le réseau ferré devient cette toile d'araignée de 6 000 kilomètres qui couvre l'Hexagone.

C'est durant cette période que la métallurgie – et le Comité des forges, où les grandes fortunes se retrouvent – augmente ses capacités. Houillères et sidérurgie dressent pour plus d'un siècle leurs chevalets, leurs terrils et leurs hauts-fourneaux dans le Nord, au Creusot, en Lorraine.

C'est le Second Empire qui dessine le nouveau paysage industriel français, qui trace les nouvelles voies de circulation, en même temps qu'ici et là des progrès sont accomplis dans l'agriculture.

Les traités de libre-échange contraignent les industriels français à se moderniser.

Et c'est une fois encore l'État qui donne les impulsions nécessaires, qui soutient le développement du système bancaire.

Vallès écrira : « Le Panthéon est descendu jusqu'à la Bourse. »

Car l'argent irrigue la haute société et ses laudateurs (journalistes, écrivains), ses alliés (banquiers, industriels), ses protecteurs (les militaires, les juges), ses parasites (les corrompus).

Le visage de Paris se transforme : Haussmann perce les vieux quartiers, crée de grands boulevards qui rendront difficile à l'avenir la construction de barricades.

Et chaque immeuble construit sur les ruines d'une vieille demeure enrichit un peu plus ceux qui, avertis parce que proches du pouvoir, anticipent les développements urbains.

Le modèle français se trouve ainsi conforté.

Le pouvoir personnalisé est entouré de ses courtisans et de ses privilégiés.

Centralisé, autoritaire, il préside aux bouleversements économiques et sociaux qu'il encadre. Et la richesse nationale s'accroît.

On fait confiance à cet État qui maintient l'ordre : les emprunts lancés sont couverts quarante fois !

Structure étatique et fortunes privées, pouvoir et épargne, se soutiennent mutuellement.

Quant aux pauvres, aux salariés, aux « misérables », aux « ouvriers » – Napoléon III se souvient d'avoir écrit et voulu *L'Extinction du paupérisme* –, ces humbles obtiennent quelques miettes au grand banquet de la fête impériale.

C'est la particularité d'un pouvoir personnel issu d'un coup d'État, mais aussi du suffrage universel, de n'être pas totalement dépendant des intérêts de telle ou telle couche sociale.

Napoléon III va accorder en 1864, dans un cadre très strict, le droit de grève.

Dès 1862, il a permis à une délégation ouvrière de se rendre à Londres à l'Exposition universelle, d'adhérer à l'Association internationale des travailleurs à l'origine de laquelle se trouvent Marx et Engels.

Ces ouvriers peuvent faire entendre leurs voix dans le « Manifeste des 60 » sans connaître la prison de Sainte-Pélagie (1864).

Ainsi s'esquisse, toujours en liaison avec l'État – et dans le cadre de sa stratégie politique –, une nouvelle séquence de l'histoire nationale : elle voit apparaître sur la scène sociale des « ouvriers » d'industrie qui manifestent au cours de violentes grèves et créent à Paris, en 1865, une section de l'Internationale ouvrière.

Pourtant, ces manifestations, ces novations, n'affaiblissent pas le régime. L'État les encadre, il conserve l'appui des bourgeoisies et la neutralité bienveillante des paysans, qui constituent encore la majorité de la population française.

Mais Napoléon le Petit aspire à chausser les bottes de Napoléon le Grand. Sa politique étrangère active, après une période de succès, connaîtra des difficultés qui saperont son régime.

La tradition bonapartiste, qui a été l'un des leviers de la conquête du pouvoir, devient ainsi la cause de sa perte.

Dans l'âme française, la quête d'un grand rôle international pour la nation aveugle le pouvoir.

Il croit avoir barre sur le monde comme il a barre sur son pays.

Là est l'illusion mortelle.

Certes, Napoléon III jette les bases d'un empire colonial français au Sénégal, à Saigon. La Kabylie est « pacifiée » ; Napoléon III pense à promouvoir un « royaume arabe » en Algérie, et non pas une domination classiquement coloniale : anticipation hardie !

Il intervient en Italie en s'alliant au Piémont contre l'Autriche, et les victoires de Magenta et de Solferino (4 et 24 juin 1859) permettront à la France, en retour, d'acquérir, après plébiscite, Nice et la Savoie (1860).

Pourtant, la guerre contre la Russie (1855) en Crimée, pour défendre l'Empire ottoman contre les visées russes, était déjà une entreprise discutable.

Elle avait cependant pour contrepartie l'alliance avec l'Angleterre, dont Napoléon III, tirant les leçons de l'échec du Premier Empire, voulait faire le pivot de sa politique étrangère, prolongeant ainsi l'Entente cordiale mise en œuvre par Louis-Philippe.

Cette alliance Paris-Londres demeurera d'ailleurs, durant toute la fin du XIXe siècle et tout le XXe siècle – et malgré quelques anicroches –, l'axe majeur de la politique extérieure française.

Mais l'expédition au Mexique « au profit d'un prince étranger (Maximilien d'Autriche) et d'un créancier suisse », dira Jules Favre, républicain modéré, alors que la situation en Europe est mouvante et périlleuse pour les intérêts français, constitue un échec cuisant (1863-1866).

Plus graves encore sont les hésitations devant les entreprises de Bismarck, qui, le 3 juillet 1866, écrase l'Autriche à Sadowa, la Prusse faisant désormais figure de grande puissance allemande.

Toutes les contradictions de la politique étrangère de Napoléon III apparaissent alors au grand jour.

Il a été l'adversaire de l'Autriche, servant ainsi le Risorgimento italien. Mais les troupes françaises ont soutenu le pape contre les ambitions italiennes. Et Napoléon III a perdu de ce fait le bénéfice de ses interventions en Italie. À Mentana, en 1867, des troupes françaises se sont opposées à celles de Garibaldi : il fallait bien satisfaire, en défendant le Saint-Siège contre les patriotes italiens, les catholiques français, socle du pouvoir impérial.

Et c'est seul que Napoléon III doit affronter Bismarck, qui, en 1867, rejette toutes les revendications de compensation émises par Paris (rive gauche du Rhin, Belgique, Luxembourg...). Ni l'Angleterre, ni la Russie, ni l'Italie, ni bien sûr l'Autriche, ne soutiennent la France contre la Prusse.

Comme toujours en France, politique extérieure et politique intérieure sont intimement mêlées.

Le Premier Empire avait succombé à la défaite militaire et à l'occupation.

Napoléon III peut se souvenir de Waterloo.

51

Voilà quinze ans que le Second Empire a été proclamé.

C'est le temps qu'il faut pour que de nouvelles générations apparaissent et que les conséquences des transformations politiques, économiques et sociales produisent leurs effets.

En 1869, des grèves meurtrières – de dix à quinze morts à chaque fois –, réprimées par la troupe, éclatent à Anzin, à Aubin, au Creusot. Des troubles se produisent à Paris. Des « républicains irréconciliables » s'appuient sur ce mécontentement qui sourd et sur les échecs humiliants subis en politique extérieure – Mexico a été évacué par les troupes françaises en février 1867 – pour rappeler les origines du régime impérial.

On célèbre les victimes du coup d'État du 2 décembre.

On veut dresser une statue au député Baudin.

On manifeste en foule, armes dissimulées sous les redingotes, en janvier 1870, quand le cousin germain de l'empereur, Pierre Bonaparte, tue le journaliste Victor Noir.

Des hommes nouveaux – Gambetta – font le procès du régime, s'expriment au nom des « nouvelles couches », formulent à Belleville un programme républicain : séparation de l'Église et de l'État, libertés publiques, instruction laïque et obligatoire. Les candidats républicains au Corps législatif sont élus à Paris. À ces élections du mois de mai 1869, un million de voix seulement séparent les opposants résolus des candidats de la majorité.

Mais ces derniers sont des partisans de l'ordre plutôt que des « bonapartistes ».

À leur tête, le « vieux » Thiers, qui rassemble autour de lui les « modérés », les anciens soutiens de la monarchie constitutionnelle, ceux que le coup d'État du 2 décembre 1851 a privés du pouvoir.

Ils se sont ralliés à Louis-Napoléon Bonaparte. Ils ont participé à la « fête impériale », mais Napoléon III ne leur semble plus capable d'affronter les périls intérieurs et extérieurs. Lorsqu'il était l'efficace défenseur de l'ordre, brandissant le glaive et faisant de son nom le bouclier de la stabilité sociale, on l'acceptait, on l'encensait. Mais le « protecteur » semble devenu impotent.

Thiers l'avertit au printemps de 1867 : « Il n'y a plus une seule faute à commettre. »

Le préfet de police de Paris, Piétri, déclare : « L'empereur a contre lui les classes dirigeantes. »

C'est ce moment où le gouffre se crée sous un régime, et la France, vieille nation intuitive et expérimentée, attend la crise, continuant de vivre comme si de rien n'était, mais pressentant la tempête comme une paysanne qui en flaire les signes avant-coureurs.

Cependant, le décor impérial est toujours en place.

En 1867, Paris est illuminé pour l'Exposition universelle que visitent les souverains étrangers. Victor Hugo a même écrit la préface du livre officiel présentant l'Exposition et le nouveau Paris de Haussmann. N'est-ce pas la preuve que l'Empire autoritaire devient libéral ?

Napoléon III desserre tous les liens : ceux qui étranglaient la presse, qui limitaient le droit de réunion ou les pouvoirs des Assemblées.

L'Empire semble recommencer. Des républicains modérés s'y rallient. L'un d'eux, Émile Ollivier, devient chef du gouvernement.

Au plébiscite du 8 mai 1870, 7 358 000 voix contre 1 572 000 et 2 000 000 d'abstentions approuvent les mesures libérales décidées par l'empereur.

Une fois encore, le suffrage universel – contre les élites – ratifie ses choix.

Napoléon III paraît demeurer l'homme providentiel capable d'entraîner le pays et de le faire entrer dans la « modernité ». C'est un Français, Lesseps qui, en présence de l'impératrice, inaugure en 1869 le canal de Suez, son œuvre.

« L'Empire est plus puissant que jamais », constatent les républicains accablés.

« Nous ferons à l'empereur une vieillesse heureuse », déclare Émile Ollivier en commentant les résultats du plébiscite : après plus de quinze ans de règne, Napoléon III a « retrouvé son chiffre ».

Pourtant, en quelques mois, le régime va s'effondrer. Le piège est ouvert par Bismarck.

Candidature d'un Hohenzollern au trône d'Espagne. Indignation de Paris ! Retrait de la candidature, mais dépêche d'Ems (où le roi prussien Guillaume Ier est en villégiature), humiliante.

Embrasement à Paris. L'entourage de Napoléon III, l'impératrice, les militaires : « La guerre sera une promenade de Paris à Berlin ! » Les journalistes à gages, les courtisans poussent à la guerre afin de laver l'affront et de recouvrer, par la victoire sur la Prusse, l'autorité que l'on a perdue par les réformes libérales.

Illustration et confirmation d'une caractéristique française : un monarque – ici l'empereur – n'accepte pas de n'être qu'un souverain constitutionnel dépendant des élus.

Le pouvoir exécutif refuse d'être entravé ou contrôlé ou orienté par les députés.

La politique étrangère étant le terrain sur lequel il est le seul maître, il va donc y jouer « librement », en souverain absolu, sa partie.

Encore faut-il qu'il soit victorieux.

Le 19 juillet 1870, Émile Ollivier salue la déclaration de guerre à la Prusse d'un « cœur léger ».

La France est pourtant seule face à Berlin, qui dispose d'une armée deux fois plus nombreuse et d'une artillerie – Krupp ! – supérieure.

Ni l'Autriche ni l'Italie ne s'allient à Paris. Et en six semaines de guerre l'état-major français montre son incapacité.

On perd l'Alsace et la Lorraine. On se replie sur Metz, où le maréchal Bazaine – le vaincu du Mexique – s'enferme.

À Sedan, le 2 septembre, Napoléon III – à la tête de ses troupes depuis le 23 juillet – se constitue prisonnier avec près de cent mille hommes.

Que reste-t-il d'un empereur qui a « remis son épée » ?

L'humiliation, cependant que la nation est entraînée dans la débâcle.

La France connaît là un de ces effondrements qui, tout au long des siècles, ont marqué son âme.

Le pays est envahi. L'armée, vaincue. Le pouvoir, anéanti. C'est l'extinction du bonapartisme.

Les républicains, les révolutionnaires qui, en juillet, avaient tenté – c'est le cas de Jules Vallès – de s'opposer au délire guerrier, et que la foule enthousiaste avait failli lyncher, envahissent le Corps législatif.

Ils déclarent l'empereur déchu.

Le 4 septembre 1870, ils proclament la république.

Au coup d'État originel répond ainsi le coup de force républicain et parisien.

Le 2 décembre 1851 a pour écho le 4 septembre 1870.

Au Second Empire succède, par et dans la débâcle, la IIIe République.

Mais l'émeute républicaine, révolutionnaire et patriote – on veut organiser la défense nationale contre les Prussiens – n'a pas changé le pays, celui qui, en mai, a apporté 7 358 000 voix à l'empereur, ou plutôt au pouvoir en place, garant pour l'écrasante majorité de l'ordre et de la paix civile.

Rien n'a changé non plus dans les hiérarchies sociales, les rouages du pouvoir.

Les préfets sont en place.

Les généraux vaincus par les Prussiens gardent le contrôle de cette armée qui a été l'armature du pouvoir impérial.

Or tous les notables – le parti de l'Ordre – craignent que la débâcle ne soit l'occasion, pour les « rouges », de s'emparer du pouvoir. L'armée, à leurs yeux, est le recours contre les « révolutionnaires ».

L'un de ces « modérés » – républicain – déclare dès le 3 septembre : « Il est nécessaire que tous les partis s'effacent devant le nom d'un militaire qui prendra la défense de la nation. »

Ce sera le général Trochu.

« Participe passé du verbe trop choir », écrira Victor Hugo.

Victor Hugo.

4

LES VÉRITÉS DE MARIANNE

1870-1906

52

En neuf mois, entre septembre 1870 et mai 1871, l'âme de la France est si profondément blessée que, durant près d'un siècle, les pensées, les attitudes et les choix de la nation seront influencés, voire souvent dictés, par ce qu'elle a souffert après la chute du Second Empire.

C'est là le legs du régime impérial.

Il ne se mesure pas en kilomètres de voies ferrées, en tonnes d'acier, en traités de libre-échange, en longueurs de boulevards tracés à Paris.

L'héritage de Napoléon III, cette honte qu'il a inoculée à la nation, s'appelle la débâcle, la défaite, la reddition du maréchal Bazaine, l'occupation du pays, l'entrée des troupes prussiennes dans Paris, la proclamation de l'Empire allemand dans la galerie des Glaces, à Versailles, le 18 janvier 1871.

Le roi de Prusse devient, par le génie politique de son chancelier de fer, Bismarck, l'empereur Guillaume. Et c'est comme si la botte d'un uhlan écrasait la gorge des patriotes français.

Ils songeront à la revanche, à leurs deux « enfants », l'Alsace et la Lorraine, livrées aux Prussiens en dépit des protestations des députés de ces deux provinces.

Et cette peste, cette guerre perdue, cette suspicion entre les peuples français et allemand, l'un voulant effacer la honte de la défaite et recouvrer Strasbourg, l'autre soucieux d'empêcher ce réveil français, la haine mêlée de fascination qui les unit, ne pouvaient que créer les conditions psychologiques d'une nouvelle guerre. Puis, elle-même, en générer une autre !

Bel héritage que celui de Napoléon III !

Et, comme si cela ne suffisait pas, la guerre contre les Prussiens nourrit la guerre civile.

Le parti de l'Ordre, même s'il fait mine, après Sedan et le siège de Paris, de vouloir poursuivre la guerre, songe d'abord à conclure au plus vite l'armistice puis la paix avec Bismarck.

Les Thiers, les Jules Favre, les Jules Ferry, les notables du parti de l'Ordre et, derrière eux, l'immense majorité des Français craignent que de la prolongation de la guerre ne jaillisse la révolution parisienne.

Alors, même si Gambetta réussit à quitter Paris en ballon, à rejoindre Tours et à constituer sur la Loire une armée de 600 000 hommes, même si des généraux comme Chanzy et Bourbaki, des officiers valeureux comme Denfert-Rochereau ou Rossel, se battent vaillamment et remportent quelques victoires, la guerre est perdue.

Jules Favre rencontre Bismarck dès le 15 septembre 1870. Les républicains, les révolutionnaires, les patriotes, rêvent encore de mener la lutte jusqu'au bout, de « chasser l'envahisseur » ; ils en appellent aux souvenirs des armées révolutionnaires. Victor Hugo, septuagénaire, veut s'engager, exalte les combats des « partisans et francs-tireurs ». Mais ces irréductibles sont minoritaires.

Toutes les consultations électorales pour approuver les mesures gouvernementales – le 3 novembre 1870, à Paris, 550 000 voix pour, 68 000 contre, puis dans toute la France, le 8 février 1871, donnent une majorité écrasante en faveur de la paix à n'importe quel prix : cinq milliards de francs-or pour les Prussiens et, par surcroît, l'Alsace et la moitié de la Lorraine.

L'Assemblée qui se réunit à Bordeaux en février 1871 est l'expression de ce désir d'ordre et de paix, mais aussi de cette haine contre les révolutionnaires parisiens, cette minorité qui crée une Commune de Paris, un Comité de salut public, qui, le 18 mars 1871, quand on veut lui reprendre les canons qu'elle a payés, se rebelle – et les soldats rejoignent les insurgés, et l'on fusille deux généraux dont l'un avait participé à la répression des journées de juin 1848 !

Car, de manière inextricable, le passé se noue au présent, et ce nœud emprisonne l'avenir.

Les « communards » de 1871 sont les jeunes gens de 1848, vaincus, censurés, marginalisés durant tout l'Empire.

C'est long, vingt ans à subir un régime arrogant, soutenu par des majorités plébiscitaires, vainqueur jusqu'au bout, avant, « divine surprise », de s'effondrer tout à coup comme une statue de plâtre.

Ce sont ces jeunes gens devenus des hommes de quarante ou cinquante ans qui manifestent, imposent la proclamation de la république, puis s'arment dans Paris parce que la Révolution c'est

Valmy, et qu'ils veulent donc défendre Paris contre les Prussiens.

Pour ces hommes-là, sonne l'heure de leur grande bataille, l'épreuve décisive, la chance à saisir.

À l'enthousiasme se mêle chez eux l'angoisse, car ils sont divisés. Ils savent qu'ils ne sont qu'une minorité, que le pays ne les suit pas, que les quartiers ouest de Paris se sont vidés de leurs habitants, que les Prussiens ont libéré des prisonniers afin qu'ils rallient l'armée hier impériale, aujourd'hui « républicaine », mais ce sont toujours les mêmes officiers qui commandent – bonapartistes ou monarchistes, soldats de l'ordre qui, vaincus par les Prussiens, veulent écraser ces révolutionnaires, ces républicains.

Entre la République et la reddition aux Prussiens, le maréchal Bazaine, à Metz, choisit de déposer les armes.

Ainsi se creuse le fossé entre les révolutionnaires, les républicains patriotes et l'armée. Et, réciproquement, l'armée ne se sent pas républicaine : quand elle entrera dans Paris, le 21 mai 1871, elle fusillera ces insurgés, ces communards.

Trente mille morts. Des milliers de déportés en Guyane ou en Nouvelle-Calédonie. Pour cette fraction minoritaire du peuple, déjà soupçonneuse envers la République fusilleuse de juin 1848, la conviction s'affirme qu'il n'y a rien à attendre de ce régime-là, pas plus que d'un autre.

L'idée s'enracine que les régimes politiques, quelle que soit leur dénomination, monarchie, empire, république, ne sont que des « dictatures ».

Alors, pourquoi ne pas imposer la dictature du prolétariat pour remplacer la dictature militaire, celle des aristocrates ou des notables ?

On mesure ce qui germe dans cette « guerre civile » du printemps 1871 – la qualification est de Karl Marx, qui publie *La Guerre civile en France* –, et comment la violence des combats dans Paris – exécution d'otages par les communards qui incendient les Tuileries, l'Hôtel de Ville, répression sauvage par les troupes, tout cela sous l'œil des Prussiens – crée des divisions politiques profondes, des cicatrices qui marqueront longtemps l'âme de la France.

L'on s'accusera mutuellement de barbarie, de faire le jeu du Prussien, et toutes les oppositions anciennes – monarchistes contre républicains, patriotes contre « parti de l'étranger » – sont confirmées par cette impitoyable « guerre civile » qui voit Paris perdre au terme des combats, en mai, 80 000 de ses habitants.

Cet événement devient une référence pour confirmer les accusations réciproques. Il est un mythe que l'on exalte, comme un modèle à suivre, avec ses rituels – ainsi le défilé au mur des Fédérés, chaque 28 mai.

Il est la preuve de l'horreur et de la barbarie dont sont capables et coupables ces « rouges » qui ont tenté d'incendier Paris.

La Commune s'inscrit dans la longue série des « guerres civiles » françaises – guerres de Religion, Révolution avec ses massacres de Septembre, la Vendée, la guillotine, les terreurs jacobine ou blanche, les journées révolutionnaires et les révolutions de 1830 et de 1848 qui en sont l'écho, les journées de juin – dont le souvenir réverbéré rend difficile toute politique apaisée.

Avec de telles références mythiques, le jeu démocratique aura du mal à être considéré comme possible, comme le but à atteindre.

Les oppositions sont d'autant plus marquées que le parti de l'Ordre s'inscrit lui aussi dans une histoire longue.

Thiers, qui est désigné par les élections du 8 février 1871 « chef du pouvoir exécutif du Gouvernement provisoire de la République », a été l'un des ministres de Louis-Philippe. En février 1848, il a conseillé que l'on évacue Paris, abandonnant la capitale à l'émeute pour la reconquérir systématiquement et en finir avec les révolutionnaires. Puis il a été le mentor de Louis-Napoléon, qu'il a cru pouvoir mener à sa guise et qu'il a fait élire président de la République en 1848.

En 1871, face à la Commune, Thiers applique son plan de 1848 avec une détermination cynique. L'Assemblée s'installe à Versailles pour bien marquer ses intentions : Paris doit être soumis à un pouvoir qui, symboliquement, siège là où le peuple parisien avait imposé sa loi à Louis XVI et à Marie-Antoinette dès octobre 1789.

En 1871, c'est la revanche de Versailles : versaillais contre communards, province contre Paris, l'armée fidèle contre les émeutiers, parti de l'Ordre contre révolutionnaires.

Et le pays dans sa majorité soutient l'entreprise de Thiers.

Il faut extirper les rouges de l'histoire nationale en les fusillant, en les déportant.

Au terme de la Semaine sanglante, le 28 mai 1871, le mouvement révolutionnaire est brisé pour une vingtaine d'années.

La France des épargnants fait confiance à Thiers.

Les emprunts lancés pour verser aux Prussiens les cinq milliards de francs-or prévus par le traité de paix signé à Francfort le 10 mai 1871 sont largement couverts.

La France est riche.

Les troupes prussiennes évacueront le pays à compter du 15 mars 1873. Thiers est le « libérateur du territoire ».

La France est calme.

Elle est prête à accepter une monarchie constitutionnelle. Mais alors que la majorité de l'Assemblée est monarchiste, les deux branches de la dynastie – la branche aînée, légitimiste, avec le comte de Chambord ; la branche cadette, orléaniste, avec le comte de Paris – ne peuvent s'entendre.

Le pays « entre ainsi dans la République à reculons ».

Thiers est élu président de la République le 31 août 1871. Mais les institutions ne sont pas fixées. Et lorsque, constatant la division des monarchistes, Thiers se rallie à la République en précisant : « La République sera conservatrice ou ne sera pas », la majorité monarchiste l'écarte, le 24 mai 1873, préférant élire comme nouveau président de la République le maréchal de Mac-Mahon, l'un des chefs de l'armée impériale, l'un des vaincus de la guerre de 1870, l'un des responsables de la débâcle !

Mais le mérite de Mac-Mahon est de n'être pas républicain. L'Assemblée peut donc, puisque le comte de Chambord refuse de renoncer au drapeau blanc, ce symbole de l'Ancien Régime, voter la loi qui fixe à sept ans la durée du mandat du président de la République, en espérant que ce délai sera suffisant pour que les prétendants monarchistes se réconcilient, acceptent les principes d'une monarchie constitutionnelle et le drapeau tricolore qui en est l'expression.

L'entente ne se fera pas, et, le 29 janvier 1875, l'amendement du député Wallon est voté à une voix de majorité, introduisant donc le mot « république » dans les lois constitutionnelles.

C'est ainsi, au terme d'un compromis entre républicains modérés – Jules Grévy, Jules Ferry – et monarchistes constitutionnels, que la République s'installe presque subrepticement.

Avec son Sénat, contrepoids conservateur à la Chambre des députés, son président qui ne peut rien sans l'accord du président du Conseil des ministres responsable devant les Chambres, la République est parlementaire.

Mais ces lois constitutionnelles peuvent aussi bien servir de socle à une monarchie constitutionnelle qu'à une république conservatrice.

L'âme de la France blessée, gorgée de mythes du passé, a vécu durant les deux premiers tiers du XIXᵉ siècle des alternances chaotiques entre les régimes, les brisant l'un après l'autre par le biais des révolutions ou à l'occasion d'une défaite devant les armées étrangères.

Révolution et débâcle, guerre civile et pouvoir dictatorial, se sont ainsi succédé.

Mais les passions politiques ont de moins en moins concerné la majorité du pays.

La nation a appris à user du suffrage universel. À chaque fois, elle a voté pour l'ordre – fût-il impérial –, pour la paix, pour le respect des propriétés.

Les journées révolutionnaires ont certes occupé le devant de la scène. Elles ont constitué l'imaginaire national. Elles font partie du rituel français. Elles sont célébrées par une minorité qui veut croire que le pays la suit. Pourtant, dans sa profondeur et sa majorité, le peuple choisit la modération, même s'il écoute avec intérêt et peut même applaudir, un temps, les discours extrêmes, les utopies qui se nourrissent de la sève nationale.

Même si, rituellement, chaque année, les cortèges couronnés de drapeaux rouges célèbrent, au mur des Fédérés du cimetière du Père-Lachaise, la mémoire des insurgés du printemps 1871, les institutions de la IIIe République, nées de la débâcle et du massacre des communards, expriment le choix de la modération.

53

En 1875, rien n'est encore définitivement acquis pour la République.

Elle n'est qu'un mot dans les lois constitutionnelles.

Ce mot peut en devenir la clé de voûte ou bien être remplacé par cette monarchie constitutionnelle qui est le régime de prédilection de la majorité des députés et du président de la République, Mac-Mahon.

Ils attendent l'union des héritiers de la monarchie. Ils s'emploient à faire régner dans le pays l'« ordre moral », à leurs yeux condition indispensable de l'ordre public et de la préservation des traditions, si nécessaire à une restauration monarchique.

C'est encore un moment important pour l'âme de la France. On la voue au Sacré-Cœur. On construit, pour expier les crimes de la Commune, la basilique du Sacré-Cœur, sur la butte Montmartre. On fait repentance. On multiplie les processions, les messes d'expiation. Et l'on ravive ainsi, en réaction, l'esprit des Lumières.

L'ancienne et profonde fracture qui, au cours des décennies, avait séparé les Français en défenseurs de l'Église et en libertins, esprits forts, laïques et déistes, redevient une césure majeure.

« Le cléricalisme, voilà l'ennemi ! » s'écrit Gambetta.

C'est un combat passionnel qui s'engage et qui sert de ligne de front entre monarchistes et républicains.

D'un côté les cléricaux, de l'autre, les anticléricaux.

La France croit se donner ainsi une vraie division qui est en même temps un leurre. Car elle dissimule l'entente profonde qui existe entre les « modérés » que sont les monarchistes constitutionnels et les notables républicains.

Tout les rapproche : la même crainte du désordre, le même refus de remettre en cause la propriété et l'organisation sociale, le même souci d'éradiquer les révolutionnaires, les socialistes, et de se garder de ces « républicains avancés » à la Gambetta qui veulent obtenir l'amnistie pour les communards condamnés ou en exil.

Lorsque Jules Ferry déclare : « Mon but est d'organiser l'humanité sans Dieu et sans roi » (« Mais non sans patron... », commentera Jaurès), il marque ce qui l'oppose aux cléricaux. Mais lorsqu'il dit, évoquant la répression versaillaise de la Commune : « Je les ai vues, les représailles du soldat vengeur, du paysan châtiant en bon ordre. Libéral, juriste, républicain, j'ai vu ces choses et je me suis incliné comme si j'apercevais l'épée de l'Archange », il est en communion avec le parti de l'Ordre.

Rien, sur ce point-là comme sur les orientations économiques et sociales, ne l'en sépare.

Et il en va de même de Jules Grévy, de Jules Favre ou de Jules Simon, qui déclare : « Je suis profondément républicain et profondément conservateur. »

Il faut donc, pour souligner l'opposition qui sépare républicains et monarchistes, choisir ce terrain du rapport entre l'État et l'Église.

Ce qui unira les républicains, de Jules Simon à Gambetta, et même aux communards, c'est l'anticléricalisme.

Cette posture – cette idéologie – a l'avantage de laisser dans l'ombre des divergences qui opposent les républicains « avancés », devenant peu à peu socialistes, et les républicains conservateurs.

L'alliance entre tous les républicains sur la base de l'anticléricalisme est d'autant plus aisée que la répression versaillaise a décapité pour une longue durée le mouvement ouvrier et le mouvement social.

Les « notables », monarchistes ou républicains, peuvent se défier sans craindre qu'un troisième joueur ne vienne troubler leur partie en parlant salaires, durée du travail, organisation sociale, égalité...

C'est ainsi que, assurés du maintien de l'ordre, les modérés peuvent glisser peu à peu vers une République dont ils savent que, hormis le thème de l'anticléricalisme, elle sera conservatrice dans ses institutions et dans sa politique économique et sociale.

Surtout, ces adeptes d'un régime « constitutionnel » qui veulent à tout prix le maintien de l'ordre peuvent désormais – c'est une grande novation dans l'histoire de la nation – régler leurs différends politiques sur le terrain parlementaire.

Alors que, depuis un siècle, c'est l'émeute, la révolution, le coup d'État, la journée révolutionnaire, les « semaines sanglantes », la violence, la terreur, la répression, qui départagent les adversaires politiques, c'est maintenant dans l'enceinte des Chambres (celle des députés et le Sénat) et par le recours au suffrage universel que s'évalue le rapport des forces.

Il a donc fallu près d'un siècle (1789-1880) pour que le parlementarisme l'emporte enfin en France.

Et c'est une dernière crise – frôlant les limites de la légalité institutionnelle – qui permet la victoire parlementaire de la République.

Mac-Mahon a, en effet, imposé à une Chambre « républicaine » le duc de Broglie comme président du Conseil.

Ce 16 mai 1877 marque un tournant politique. De Broglie va être contraint de démissionner en novembre. Les 363 députés qui se sont opposés à lui seront réélus après que la Chambre aura été dissoute par Mac-Mahon.

« Il faudra se soumettre ou se démettre », a lancé Gambetta, stigmatisant « ce gouvernement des prêtres, ce ministère des curés ».

Le 30 janvier 1879, quand le Sénat connaîtra à son tour une majorité républicaine, Mac-Mahon démissionnera et sera remplacé par Jules Grévy, républicain modéré.

Le pays, « saigné » par un siècle d'affrontements sanglants, a résolu cette crise dans un cadre où les violences ne sont plus que verbales.

En quelques mois, la IIIe République s'installe.

Jules Ferry, ministre de l'Instruction publique, crée un enseignement laïque, veille à la formation des instituteurs dans ces « séminaires républicains » que sont les écoles normales départementales.

Il s'attaque aux congrégations, notamment aux Jésuites.

La République, c'est l'anticléricalisme.

Elle prend des décisions symboliques : les deux Chambres quittent Versailles pour siéger à Paris. Le 14 juillet devient fête nationale à compter de 1880, et *La Marseillaise* sera l'hymne de la nation.

Le 11 juillet 1880, Gambetta incite les députés à voter une loi d'amnistie pour les communards condamnés ou exilés.

« Il faut que vous fermiez le livre de ces dix années, dit-il. Il n'y a qu'une France, et qu'une République ! »

Mais le retour des communards signe aussi le retour de la contestation sociale. Donc celui de visions différentes de la France et de la République.

Sur la scène politique où monarchistes et bona-partistes viennent de quitter les premiers rôles, d'autres acteurs vont faire leur entrée.

54

En un quart de siècle – 1880-1906 –, un modèle républicain français se constitue.

Des lois fondamentales sont votées, des forces politiques prennent forme, partis et syndicats structurent la vie sociale.

Profondes, les crises sont gérées pacifiquement, même si elles dressent encore les Français les uns contre les autres. La violence est certes présente, mais contenue.

Ainsi se fixent des traits majeurs de l'âme de la France qui se conserveront jusqu'aux années 40 du XXe siècle, au moment où l'« étrange défaite » de 1940, cette autre débâcle, entraînera la chute de la IIIe République et renverra aux pires souvenirs de 1870.

Mais, jusque-là, le bâti qui a été construit entre 1880 et 1906 tient.

D'ailleurs, les hommes politiques qui ont surgi dans les années 1890 occupent encore, pour les plus illustres d'entre eux – Poincaré (1860-1934), Barthou (1862-1934), Briand (1862-1932) –, des fonctions éminentes dans les années 1930. Philippe Pétain (1856-1951) est un officier déjà quadragénaire en 1900. À cette date, Léon Blum (1872-1950) est un intellectuel d'une trentaine d'années engagé dans les combats de l'affaire Dreyfus. Le journal *L'Humanité* de Jaurès (1859-1914) est créé en 1904.

Pétain couvrira de son nom et de sa gloire de maréchal la capitulation de 1940, et on le qualifiera de nouveau Bazaine.

En 1936, Léon Blum sera le président du Conseil du Front populaire, et *L'Humanité*, le quotidien emblématique des communistes.

C'est dire que la IIIe République a su traverser le traumatisme de la Première Guerre mondiale (1914-1918), et, dans l'apparente continuité des institutions et des hommes, « digérer » les bouleversements des premières décennies du XXe siècle.

La Russie, l'Italie, l'Allemagne et l'Espagne sont submergées par le communisme, le fascisme, le nazisme, le franquisme. La France républicaine, elle, résiste aux révolutions et aux contre-révolutions.

Comme si elle était sortie définitivement, pour les avoir vécus jusqu'aux années 1870, de ces temps de guerre civile, et qu'elle avait construit au tournant du siècle, entre 1880 et 1906, un modèle adapté enfin à la nation.

On le constate en examinant les lois proposées par les républicains modérés. Elles sont à leur image – prudentes –, mais elles définissent les libertés républicaines, qui concernent aussi bien le droit de réunion, d'association, de création de syndicats, de publication, que l'élection des maires, mais aussi le droit au divorce.

Ces lois votées entre 1881 et 1884 expriment à la fois la résolution et l'opportunisme de leurs initiateurs. Elles créent un « État de droit ».

Elles sont l'affirmation d'une démocratie parlementaire qui suit une voie moyenne, « modérée ».

De ce fait, Gambetta est écarté après un court et grand ministère d'une dizaine de semaines (novembre 1881-janvier 1882). L'homme est considéré comme trop « avancé », à l'écoute des couches populaires. Son échec comme président du Conseil, alors qu'il est le « leader » le plus prestigieux des républicains, qu'il a animé les campagnes contre le second Empire, puis Mac-Mahon, est révélateur d'un trait du fonctionnement politique de cette IIIᵉ République.

Puisque le président de la République, quelle que soit son influence, se tient en retrait dans une fonction de représentation et d'arbitrage, l'exécutif est dans la dépendance des majorités parlementaires. Celles-ci varient au gré des circonstances et des ambitions individuelles qui, déplaçant quelques dizaines de voix, font ainsi « tomber » les gouvernements.

Cette faiblesse de l'exécutif, cette instabilité ministérielle seront, dès les origines, une tare du régime républicain, qui le caractérisera jusqu'à sa fin, en 1940. Si un gouvernement veut « durer », il doit « composer ».

Un Jules Ferry le dira clairement : « Le gouvernement est résolu à observer une méthode politique et parlementaire qui consiste à ne pas aborder toutes les questions à la fois, à limiter le champ des réformes, à écarter les questions irritantes. »

Cependant, Ferry est l'un des initiateurs majeurs de ce « modèle républicain ».

Ses lois scolaires (1882-1886) introduisent la laïcité aux côtés de l'obligation et de la gratuité de l'instruction publique.

Elles créent un enseignement féminin.

Jules Ferry est ainsi celui qui, avec lucidité et conviction, veut arracher les citoyens à l'emprise cléricale identifiée à la cause monarchiste.

Cette « laïcité » déborde le domaine scolaire en devenant, à partir de 1901, le grand thème républicain.

Des lois sur les associations visent les congrégations enseignantes, puis imposent l'inventaire des biens de l'Église.

On débouche ainsi sur la loi capitale de séparation des Églises et de l'État en 1905. Ses deux premiers articles précisent que la République garantit la liberté de conscience et qu'elle « ne reconnaît, ne salarie ni ne subventionne aucun culte ».

Cette séparation crée une « exception française ». Elle définit la République.

Elle a été voulue par des forces politiques nouvelles – radicaux, socialistes (son rapporteur est Aristide Briand) – et par des courants de pensée – franc-maçonnerie du Grand Orient de France, farouchement anticléricale et vigoureusement athée depuis 1877 ; protestantisme.

Hostile à tout « ralliement » des catholiques à la République, l'attitude de la papauté a conféré à cette législation laïque le caractère d'une politique de « défense républicaine ».

La laïcité, disent Jean Jaurès et Émile Combes (1835-1921, ancien séminariste), est une manière de « républicaniser la République ». « Le parti républicain a le sentiment du danger. Il a perçu […] que la congrégation s'était accordée avec le militarisme. Il exige qu'il soit agi contre elle. »

Car la République, en ces années 1880-1906, se sent en effet menacée.

Dans ses profondeurs, le pays reste rural et modéré. Le nouveau régime ne s'y enracine que lentement.

L'élection des maires, le rôle des instituteurs (les « hussards noirs de la République »), l'action des notables laïques « libres penseurs », opposés au curé, à l'aristocrate, au grand propriétaire, au milieu clérical, favorisent le développement de l'esprit républicain.

L'école laïque gratuite et obligatoire enseigne un « catéchisme républicain » qui redessine les contours de l'histoire officielle.

Il est relayé par les symboles et rituels républicains : *La Marseillaise*, le 14 Juillet, Marianne...

Mais le fonctionnement politique du régime – l'instabilité ministérielle, la corruption, les scandales (celui du canal de Panama, dans lequel des députés sont compromis : la « plus grande flibusterie du siècle ») – crée des foyers de troubles.

Nostalgie du militaire providentiel : le général Boulanger, « brave général », « général revanche », un temps ministre de la Guerre (1887), soutenu par la Ligue des patriotes de Paul Déroulède, est tenté de prendre le pouvoir. Ce n'est qu'un rêve vite brisé.

Un courant anarchiste se dresse contre la « société bourgeoise », contre l'État, veut mener une « guerre sans pitié » contre cette société injuste. Une vague d'attentats – la « propagande par le fait », à savoir des actes de délinquance comme la « reprise individuelle » – culmine avec l'assassinat, en 1894, du président de la République Sadi Carnot par l'anarchiste Caserio.

La guillotine fonctionne.

La police, qui manipule parfois ces anarchistes de manière à déconsidérer toute protestation sociale, contrôle en fait cette poussée qui ne met pas le régime en péril.

Derrière l'autosatisfaction des « notables » républicains et les « frous-frous » de la « Belle Époque », ces troubles n'en révèlent pas moins l'existence d'une question sociale, de plus en plus présente.

Des syndicats se créent par branches professionnelles. La CGT, née en 1895, les regroupe.

En 1906, au congrès d'Amiens, elle adopte une charte « anarcho-syndicaliste ». La charte d'Amiens préconise la grève générale, affirme la volonté d'en finir un jour avec le patronat et le salariat. Dans le même temps, cette confédération veut rester « indépendante des partis et des sectes qui, en dehors et à côté, peuvent poursuivre en toute liberté la transformation sociale ».

Cette radicalité syndicale et ce souci d'autonomie sont d'abord le reflet de la violence de la répression qui frappe les ouvriers grévistes à Anzin (1884), à Fourmies (1899-1901), à Courrières (1906) après un accident minier qui a fait 1 100 morts. Clemenceau (1841-1929), ministre de l'Intérieur, « premier flic de France », fait donner la troupe qui ouvre le feu, et qui, le 1er mai 1906, met en état de siège la capitale, où toute manifestation est interdite.

Face aux socialistes et aux revendications ouvrières, un bloc républicain s'est constitué ; il regroupe les radicaux-socialistes (Clemenceau), les modérés (Poincaré, Barthou). Il s'oppose aux socialistes (leur premier congrès a lieu en 1879). Ceux-ci s'unifieront dans la Section française de l'Internationale ouvrière (SFIO) en 1905.

Il y a là, en fait, deux conceptions de la République qui s'opposent. Cet affrontement est symbolisé par le débat qui met face à face, à la Chambre des députés, en avril 1906, le radical Clemenceau et le socialiste Jaurès.

Jaurès dénonce l'inégalité, dépose une proposition de loi sur la transformation de la propriété individuelle en propriété collective.

Clemenceau voit dans le socialisme une rêverie prophétique et choisit « contre vous, Jaurès, la justice et le libre développement de l'individu. Voilà le programme que j'oppose à votre collectivisme ! »

En fait, pour importants qu'ils soient et pour majeurs que soient les enjeux qu'ils sous-tendent, ces débats ne mobilisent pas les grandes masses du pays. Elles s'expriment néanmoins dans le cadre du suffrage universel.

Le nombre des électeurs qui votent pour le Parti socialiste augmente ainsi lentement.

Mais ce parti, comme les syndicats ou comme le Parti radical, ne compte que peu d'adhérents. Le citoyen est individualiste et sceptique. Il accepte le système politique en place. Ceux qui le contestent autrement que dans les urnes ne sont qu'une minorité.

La République « intègre » : en 1899, Millerand devient le premier socialiste à accéder à un ministère, et Jaurès soutient ce gouvernement Waldeck-Rousseau « de défense républicaine », bien que le ministre de la Guerre y soit le général de Galliffet, l'un des « fusilleurs » des communards.

Maurice Barrès (1862-1923), écrivain et député nationaliste, avait écrit à propos du ministère Jules Ferry : « Il donne à ses amis, à son parti, une série d'expédients pour qu'ils demeurent en apparence fidèles à leurs engagements et paraissent s'en acquitter, cependant qu'ils se rangent du côté des forces organisées et deviennent des conservateurs. »

Tel sera le chemin suivi par Alexandre Millerand ou Aristide Briand, tous deux socialistes, puis ministres « républicains » et cessant, du coup, d'agir en socialistes.

Produit d'une longue histoire « révolutionnaire », la IIIe République a construit entre 1880 et 1906 un système représentatif imparfait, contesté, mais capable de résister, dès lors qu'il sent sa politique républicaine modérée menacée soit par l'Église (et ce sont les lois laïques), soit par l'anarchisme et le socialisme (et c'est la répression), soit par le « militarisme », et ce seront les combats contre le général Boulanger ou pour la défense de l'innocent capitaine Alfred Dreyfus.

Par l'ampleur qu'elle prend de 1894 à 1906 – de la condamnation du capitaine pour espionnage à sa réhabilitation complète et à sa réintégration dans l'armée –, l'affaire Dreyfus est significative des divisions de l'âme de la France en cette fin de siècle.

Car la culpabilité de Dreyfus est dans un premier temps acceptée : seuls quelques proches la contestent.

Cela reflète d'abord la confiance que l'on porte à l'autorité militaire, liée à la volonté de revanche. Personne ne doute que l'Allemagne ne soit l'ennemi, capable de toutes les vilenies.

Ensuite, la vigueur de l'antisémitisme donne un crédit supplémentaire à la culpabilité de Dreyfus, Alsacien d'origine juive.

Cet antisémitisme ne touche pas seulement les milieux conservateurs qui condamnent le « peuple déicide » dans la tradition de l'antisémitisme chrétien. Il existe aussi un antisémitisme « populaire », républicain, socialiste, anticapitaliste. On répète les thèses de Toussenel exposées dans son livre *Les Juifs, rois de l'époque, histoire de la féodalité financière*. Juif, usurier et trafiquant sont pour lui synonymes.

Le livre d'Édouard Drumont (1844-1917), *La France juive*, rencontre un large écho, tout comme son journal, *La Libre Parole*, lancé en 1892. La presse catholique – *La Croix, Le Pèlerin* – reprend quotidiennement ces thèmes.

On mesure la difficulté qu'il y a à obtenir une révision du procès d'Alfred Dreyfus.

On se heurte à l'antisémitisme.

On est accusé d'affaiblir l'armée, donc, d'une certaine manière, de prendre parti pour l'Allemagne.

Dans ces conditions, le rôle d'un Clemenceau, d'un Péguy (1873-1914), d'un Jaurès, des intellectuels – le terme apparaît à l'époque –, de la Ligue des droits de l'homme qu'ils constituent, est déterminant.

C'est dans *L'Aurore* de Clemenceau que, le 14 janvier 1898, Zola, au faîte de sa gloire, publie son « J'accuse ! » : « Je n'ai qu'une seule passion, celle de la lumière [...] La vérité est en marche, rien ne l'arrêtera ! »

Le pays se divise en dreyfusards et antidreyfusards.

Les corps constitués, les monarchistes, les catholiques, les ligues – des patriotes, de la patrie française –, la France antirépublicaine, sont hostiles à la révision.

Les républicains avancés, les « professeurs », les socialistes – après avoir longtemps hésité : Dreyfus n'est-il pas un « bourgeois » ? – en sont partisans.

Cette bataille qui prend l'opinion à témoin, qui pousse les « intellectuels », les écrivains, à s'engager – Barrès contre Zola –, ces valeurs de vérité et de justice désormais considérées comme plus importantes que la « raison d'État », font de l'affaire Dreyfus un événement exemplaire témoignant qu'il y a bien une « exception française ».

La justice ne doit pas s'incliner devant l'armée.

Les valeurs de vérité et le respect des droits de l'homme sont supérieurs aux intérêts de l'État dès lors que celui-ci viole les principes.

Il est capital pour l'âme de la France qu'à la fin d'un combat de plus de dix ans les dreyfusards l'emportent.

Les « valeurs » s'inscrivent ainsi victorieusement au cœur du patriotisme républicain qui s'oppose à un nationalisme arc-bouté sur une vision sincère mais étroite des intérêts de l'État.

En ce sens, l'affaire Dreyfus prolonge la tradition qui avait vu Voltaire prendre parti pour Calas et le chevalier de La Barre contre les autorités cléricales et royales.

L'esprit républicain qui l'a emporté au terme de l'affaire Dreyfus va s'affirmer tout au long du XXᵉ siècle avec le rôle combiné des intellectuels et de la Ligue des droits de l'homme (40 000 adhérents en 1906).

Mais ce sont davantage des personnalités extérieures à la société politique qui se sont engagées. Pour un Jaurès, que de silences prudents !

Quant au pays provincial et rural, aux notables locaux, ils ont été bien moins concernés par l'« Affaire » que les milieux parisiens. Les élections de 1898 changent peu la composition de l'Assemblée : Jaurès, dreyfusard, soutien de Zola, est battu.

Le souci de ne point affaiblir l'armée, dans la perspective d'une future confrontation avec l'Allemagne, en proclamant qu'elle a failli, intervient sans doute dans la réticence d'une large partie de l'opinion.

Ce qui tendrait à montrer qu'au fond les Français, qu'ils soient dreyfusards ou antidreyfusards, républicains ou ennemis de la « Gueuse », sont d'abord des patriotes, les uns privilégiant les valeurs des droits de l'homme identifiées à la République, les autres, la tradition étatique, certes, mais patriotique elle aussi.

À l'heure où, par l'alliance franco-russe (1893) et par le maintien, malgré des différends coloniaux, de bons rapports avec le Royaume-Uni, les gouvernements successifs préparent la « revanche », il est vital que la IIIe République soit capable de susciter, malgré les fractures de l'opinion, une « union patriotique ».

5

L'UNION SACRÉE

1907-1920

55

De 1907 à 1914, la France marche vers l'abîme de la guerre en titubant.

D'un côté, elle semble décidée à l'affrontement avec l'Allemagne de Guillaume II afin de prendre sa revanche et de récupérer l'Alsace et la Lorraine tout en effaçant le souvenir humiliant de Sedan et de la débâcle de 1870.

Dans les milieux littéraires parisiens, après la réhabilitation de Dreyfus en juillet 1906, et comme pour affirmer que l'on continue à avoir confiance dans l'armée, on constate un renouveau du nationalisme et du militarisme.

Barrès, Maurras (1868-1952), mais aussi Péguy, l'ancien dreyfusard, chantent les vertus de la guerre : « C'est dans la guerre que tout se refait ; la guerre n'est pas une bête cruelle et haïssable, c'est du sport vrai, tout simplement », va-t-on répétant.

On vante la « race française », catholique, on se dit prêt au sacrifice, on institue la célébration nationale de Jeanne d'Arc.

On manifeste. On conspue les pacifistes, les socialistes, ce « Herr Jaurès qui ne vaut pas les douze balles du peloton d'exécution, une corde à fourrage suffira »...

En janvier 1913, une coalition rassemblant des élus traditionalistes (monarchistes), des républicains modérés, des radicaux-socialistes, élit Raymond Poincaré, le Lorrain, incarnation de l'esprit de revanche, président de la République.

Les diplomates et les militaires, qui échappent de fait au contrôle parlementaire, trouvent ainsi au sommet de l'État un appui déterminé. Ils font de la France la clé de voûte de la Triple-Entente entre Royaume-Uni, France et Russie.

Elle n'a pas été ébranlée par la défaite de la Russie face au Japon, en 1905, ni par la révolution qui a suivi. Elle souscrit des emprunts russes à hauteur de plusieurs milliards de francs-or. Elle appuie le tsar, qui tente de moderniser son pays sur les plans économique et politique.

Elle ne tient aucun compte de l'agitation « bolchevique » qui se déclare hostile à la guerre contre l'Allemagne et qui, à cette « guerre entre impérialismes », oppose le « défaitisme révolutionnaire ».

Dans cette préparation à la guerre, le haut état-major français obtient le vote d'une loi portant le service militaire à trois ans (avril 1913) pour faire face à une armée allemande plus nombreuse, la France ne comptant que quarante millions d'habitants et l'Allemagne, soixante.

Mais ces signes, ces décisions, les initiatives françaises prises au Maroc pour y instaurer un protectorat auquel l'Allemagne est hostile, et qui manifestent une volonté d'affrontement, le choix délibéré du risque de guerre, sont contredits par d'autres attitudes.

C'est comme si, à tous les niveaux de la vie nationale, le pays était divisé.

D'abord, les conflits sociaux se durcissent : la troupe intervient à Draveil en 1908 et tire sur les cheminots grévistes.

En 1909, les électriciens plongent Paris dans l'obscurité.

Ministre de l'Intérieur, puis président du Conseil, Clemenceau réagit durement face à ce syndicalisme révolutionnaire qui paralyse les chemins de fer cependant que les inscrits maritimes bloquent les ports.

Opposés à la troupe dans ces conflits sociaux, les ouvriers développent un antimilitarisme radical, cependant qu'en 1907 les viticulteurs ruinés par le phylloxéra réussissent à gagner à leur cause des soldats du 17e régiment d'infanterie, qui se mutinent : « Vous auriez, en tirant sur nous, assassiné la République. »

Ces incidents semblent miner la cohésion nationale indispensable à une entrée en guerre.

Les socialistes sont gagnés par ce climat. Ils prônent dans leurs congrès la « grève générale » pour s'opposer à la guerre.

« Prolétaires de tous les pays, unissez-vous ! » scande-t-on.

Cette poussée verbalement révolutionnaire fait contrepoids, en même temps qu'elle le renforce, au courant nationaliste et belliciste.

De là ces appels au meurtre lancés contre Jaurès, le pacifiste, membre de l'Internationale socialiste, qui déclare à Bâle en juin 1912 : « Pour empêcher la guerre, il faudra toute l'action concordante du prolétariat mondial. »

Il rêve de préparer une grève générale « préventive » pour dissuader les gouvernements de se lancer dans un nouveau conflit.

Jaurès sous-estime ainsi la logique mécanique des blocs – à la Triple-Entente s'oppose la Triple-Alliance (Allemagne, Autriche-Hongrie, Italie). Il ne mesure pas l'engrenage des mesures militaires, les décisions d'un état-major entraînant la réplique d'un autre, et, une fois les mobilisations commencées, comment freiner un mouvement lancé, doté d'une puissante force d'inertie ?

En outre, Jaurès ne perçoit pas que des groupes marginaux – ainsi les nationalistes serbes –, des États « archaïques » – dans les Balkans, mais la Russie est aussi l'un d'eux –, peuvent, par leurs initiatives échappant à tout contrôle, déclencher des incidents qui entraîneront dans un conflit régional les grands blocs alliés, lesquels, par leur intervention, généraliseront le conflit.

En fait, en ces années cruciales durant lesquelles se jouent le sort de la paix et le destin de la France, le système politique de la IIIe République révèle ses limites. Car il ne s'agit plus seulement de constituer un gouvernement, de voter des lois, de trouver une issue à telle ou telle affaire intérieure – affaire Dreyfus ou scandale de Panama –, mais bien de prendre des décisions qui engagent la France sur le plan international.

Ici, le rôle du président de la République, celui du ministère des Affaires étrangères et du ministère de la Guerre échappent en partie au contrôle parlementaire.

De plus, la grande presse – *Le Matin, Le Petit Parisien* – pèse sur l'opinion et influe donc sur le choix des députés, qui ne respectent pas les accords passés entre leurs partis.

On perçoit aussi un fossé entre les manœuvres et rivalités politiciennes des leaders parlementaires – Clemenceau est le rival de Poincaré, celui-ci, l'adversaire de Joseph Caillaux (1863-1944) et de Jaurès – et la gravité des problèmes qui se posent aux gouvernements alors que s'avivent les tensions internationales.

C'est le cas entre le Royaume-Uni et l'Allemagne à propos de la question de leurs flottes de guerre respectives ; entre la France et l'Allemagne sur la question du Maroc ; entre l'Autriche-Hongrie, liée à l'Allemagne dans le cadre de la Triple-Alliance, et la Serbie, soutenue par la Russie, orthodoxe comme elle, une Russie qui est l'alliée de la France dans le cadre de la Triple-Entente.

Une République dont l'exécutif est ainsi soumis aux combinaisons parlementaires peut-elle conduire une grande politique extérieure alors que le chef de son gouvernement est menacé à tout instant de perdre sa majorité ?

Cette interrogation se pose dès les années 1907-1914, qui comportent deux séquences électorales : en 1910 et en 1914.

Au vrai, le problème est structurel : il demeurera, puisqu'il est le produit du système constitutionnel qui a été choisi.

Ce système a une autre conséquence : il facilite l'émergence des médiocres et écarte les personnalités brillantes et vigoureuses.

On l'a vu dès l'origine de la République – en 1882 – avec Gambetta.

Cela se reproduit, à partir de 1910, avec Joseph Caillaux, le leader radical qui, en 1911, a résolu par la négociation une crise avec l'Allemagne à propos du Maroc. Il a accepté des concessions pour éviter ou faire reculer la guerre, ce qui le désigne comme un complice du Kaiser. Caillaux est aussi partisan de la création d'un impôt sur le revenu, refusé par tous les modérés. Il est donc l'homme à ostraciser.

D'autant plus qu'il associe le Parti radical au Parti socialiste de Jaurès en vue des élections de mai 1914. Au cœur de leur programme commun : l'abolition de la loi portant le service militaire à trois ans.

Or c'est cette coalition présentée comme hostile à la défense nationale qui l'emporte, faisant élire 300 députés radicaux et socialistes contre 260 élus du centre et de la droite conservatrice.

Est-ce le socle d'une autre politique étrangère ?

En fait, la France continue de tituber. Les députés radicaux élus ne voteront pas l'abolition de la loi des trois ans, soumis qu'ils sont à la pression de l'« opinion » telle que la reflètent les grands journaux parisiens, eux-mêmes sensibles à la fois aux fonds russes qui les abreuvent et au renouveau nationaliste d'une partie des élites intellectuelles.

Et le président de la République, que le vote de mai 1914 vient de désavouer, n'en continue pas moins de prôner la même politique étrangère. Il agit dans l'ombre pour dissocier les députés radicaux de Caillaux et de Jaurès.

De toute façon, il est bien tard pour changer d'orientation.

Le 28 juin 1914, l'archiduc François-Ferdinand est assassiné à Sarajevo par des nationalistes serbes. La mécanique des alliances commence à jouer.

Les ultimatums et les mobilisations se succèdent.

Le 31 juillet 1914, Jaurès est assassiné.

Le 1er août, la France mobilise.

Le 3, l'Allemagne lui déclare la guerre.

La décision a échappé aux parlementaires, à la masse du pays engagée dans les moissons, avertie seulement par le tocsin et les affiches de mobilisation.

Elle répond sans hésiter à l'appel de rejoindre ses régiments.

Mais des différences apparaissent entre l'enthousiasme guerrier qui soulève, à Paris et dans quelques grandes villes, les partisans de la guerre en des manifestations bruyantes – « À Berlin ! » y crie-t-on – et l'acceptation angoissée des nécessités de la mobilisation par la majorité des Français. Les slogans proférés dans la capitale ne reflètent pas l'état d'âme du reste de la France.

On est partout patriote. On part donc faire la guerre. Mais on n'est pas belliciste.

C'est plutôt la tristesse et l'angoisse qui empoignent la masse des Français.

Ceux qui, pacifistes intransigeants, partisans de la grève générale, s'opposent à la guerre sont une minorité isolée. Le gouvernement n'a pas à sévir contre les révolutionnaires, les syndicalistes, ceux qui hier se déclaraient contre la guerre. Les socialistes s'y rallient.

« Ils ont assassiné Jaurès, nous n'assassinerons pas la France », titre même un journal antimilitariste.

Jules Guesde (1845-1922), le « marxiste » du Parti socialiste, qui accusait Jaurès de modérantisme, devient ministre.

C'est donc l'« union sacrée » de tous les Français.

La République rassemble la nation, condition nécessaire de la victoire.

56

La Grande Guerre qui commence en 1914 est l'ordalie de la France, et donc de la IIIe République qui la gouverne.

L'épreuve, qu'on prédisait courte, de quelques semaines, va durer cinquante-deux mois.

Le 11 novembre 1918, quand, le jour de l'armistice, on dressera un monument aux victimes, on dénombrera 1 400 000 tués ou disparus (10 % de la population active), 3 millions de blessés, dont 750 000 invalides et 125 000 mutilés.

Sur dix hommes âgés de 25 à 45 ans, on compte deux tués ou disparus, un invalide, trois handicapés.

Si l'on recense les victimes par profession, on relève que la moitié des instituteurs mobilisés – les « hussards noirs de la République », officiers de réserve, encadrant leurs anciens élèves – ont été tués.

Polytechniciens, Normaliens, écrivains – d'Alain-Fournier à Péguy – et surtout paysans et membres des professions libérales ont payé leur tribut à la défense de la patrie.

Durant toute la guerre, une large partie du territoire – le Nord et l'Est –, la plus peuplée, la plus industrielle, a été occupée.

En septembre 1914, la pointe de l'offensive allemande est parvenue à quelques dizaines de kilomètres de Paris, et en août 1918 la dernière attaque
ennemie s'est rapprochée à la même distance de la
capitale.

Des offensives de quelques jours, lançant les
« poilus » en Champagne, au Chemin des Dames (en
1915, en 1917), ont coûté plusieurs centaines de milliers d'hommes.

29 000 meurent chaque mois en 1915 ; 21 000
encore en 1918.

La France a été « saignée », et c'est son meilleur
sang – le plus vif, parce que le plus jeune – qui a
coulé durant ces cinquante-deux mois.

Qui ne mesure la profondeur de la plaie dans
l'âme de la France !

Le corps et l'âme de la nation sont mutilés pour
tout le siècle.

Chaque Français a un combattant, ou un tué, ou
un gazé, ou un invalide dans sa parentèle.

Chacun, dans les générations suivantes, a côtoyé
un mutilé, une « gueule cassée ».

Chacun, jusqu'aux années 1940, a vu défiler des
cortèges d'anciens combattants.

Puis d'autres, par suite d'autres guerres, les ont
remplacés, et à la fin du XXᵉ siècle il n'y avait plus
qu'une dizaine de survivants du grand massacre, de
celle qui restait la « grande » guerre et dont on avait
espéré qu'elle serait la « der des der ».

Sonder la profondeur de la plaie – toutes ces femmes en noir qui n'ont pas enfanté, qui se sont fanées
sous leurs voiles de deuil –, prendre en compte les
traumatismes des « pupilles de la nation » et ceux
de ces survivants qui pensaient à leurs camarades

morts près d'eux, c'est réaliser que la Première Guerre mondiale a été pour plusieurs décennies – au moins jusqu'à la fin des années 1940 – le grand déterminant de l'âme de la France.

À prendre ainsi conscience de l'étendue de la blessure, de la durée de cette épreuve de cinquante-deux mois, on devine que c'est au plus profond de l'« être français » que le peuple des mobilisés et celui de l'arrière ont dû aller puiser pour « tenir ». Et d'autant plus qu'année après année la conduite des opérations militaires n'a pas permis de repousser l'ennemi hors du territoire national.

Dès l'été 1914, sous le commandement de Joffre, le front français est percé. Des unités – en pantalons rouges ! – sont décimées et se débandent.

On fusille sans jugement ceux qu'on accuse d'être des fuyards.

Mais ce ne sera pas l'effondrement. Le pouvoir politique tient. Il quitte Paris pour Bordeaux – sinistre souvenir de 1871 ! –, mais demande aux militaires de défendre Paris.

Et c'est la bataille de la Marne, le front qui se stabilise, les soldats qui s'enterrent dans les tranchées.

La République ne s'est pas effondrée. Il n'y aura pas de débâcle comme en 1870. Nul ne manifeste contre le régime et les soldats résistent.

Ces « poilus » sont des paysans. La terre leur appartient. Un patriotisme viscéral, instinctif, les colle à ces mottes de glaise.

Mais, poussés par les politiques, les chefs croient à l'offensive.

Offensive en Champagne en 1915. Échec : 350 000 morts.

En 1916, on s'accroche à Verdun.

En 1917 – la révolution russe de février a changé la donne –, le général Nivelle, qui vient de remplacer Joffre, lance l'offensive du Chemin des Dames.

Échec. Hécatombe. Mutineries.

Pétain, économe des hommes, partisans de la défensive, le remplace. Il veut attendre « les Américains et les tanks ».

Quand les Allemands lancent leurs dernières offensives, en 1918, Foch, généralissime de toutes les armées alliées, dispose d'une supériorité écrasante. Craignant que sa propre armée ne s'effondre – comme s'est dissoute l'armée russe après la révolution d'octobre 1917 –, l'état-major allemand fait pression sur Berlin pour qu'on sollicite un armistice. Ainsi, le sol allemand n'aura pas été envahi.

C'est donc, le 11 novembre 1918, la victoire de la France.

La nation a été le théâtre majeur de la guerre.

Elle a sacrifié le plus grand nombre de ses fils – seuls les Serbes, proportionnellement à leur population, ont subi davantage de pertes.

Le peuple français sous les armes et l'arrière ont tenu parce que l'« intégration » à la nation issue d'une histoire séculaire a été réalisée.

Ce patriotisme aux profondes racines a été revivifié par les lois républicaines, par le suffrage universel, par le « catéchisme national » enseigné par les « hussards noirs de la République ».

Chaque soldat est un citoyen.

Cet attachement à la terre de la patrie – le poilu est souvent un paysan propriétaire de sa ferme – explique sa résistance. Il se bat. Il s'accroche au sol non parce qu'il craint le peloton d'exécution pour désertion ou refus d'obéissance, mais parce qu'il défend sa propre parcelle du sol de la nation.

Et s'il se mutine en 1917, s'il fait la « grève des combats », c'est parce qu'on ne respecte pas en lui le citoyen, que l'on est « injuste » dans la répartition des permissions ou dans la montée en première ligne, qu'on « gaspille » les vies pour « grignoter » quelques mètres, tenter des percées qui ne peuvent aboutir.

Certes, la lassitude, la contestation, la fascination pour la révolution russe, l'antimilitarisme – si présent en 1914 –, progressent en même temps que la guerre se prolonge et que les offensives inutiles se multiplient.

Le poilu se sent solidaire de ses camarades qui « craquent », qui se rebellent et qu'un conseil de guerre expéditif condamne à mort.

Mais le patriotisme l'emporte sur l'esprit de révolte.

Le sol de la patrie occupé appartient aux citoyens. Il leur faut le défendre, le libérer.

Ce sont des citoyens-soldats qui ont remporté la victoire. En première ligne, ils avaient le sentiment de vivre avec les officiers de troupe dans une « société » républicaine où chacun, à sa place, risquait sa vie.

Ils n'avaient pas le même rapport avec les officiers supérieurs, perçus comme des « aristocrates ». Et les généraux qu'ils ont appréciés sont ceux qui, comme Pétain, les respectaient, rendaient hommage à leur courage, ne les considéraient pas comme de la chair à canon.

À la tête du pays, l'union sacrée à laquelle participaient les socialistes confirmait ce sentiment d'une cohésion de tous les Français.

Sans doute les socialistes quittent-ils le gouvernement en novembre 1917, reflétant par là la lassitude qui affecte tout le pays. Mais la personnalité de Clemenceau, président du Conseil, prolonge l'union sacrée. Il a un passé de républicain dreyfusard, même si, dans les milieux ouvriers, on se souvient du « premier flic de France », adversaire déterminé du socialisme. Il incarne un patriotisme intransigeant.

Sa volonté de « faire la guerre » et de conduire le pays à la victoire, la chasse qu'il fait à tous ceux qui expriment le désir d'en finir au plus vite par une paix de compromis donnent le sentiment que le pays est conduit fermement, que la République a enfin un chef à la hauteur des circonstances.

Certes, en poursuivant Joseph Caillaux, qui a été partisan d'une autre politique, pour intelligence avec l'ennemi, il règle de vieux comptes, en habile politicien. Mais, avec Clemenceau, avec Foch et Pétain, la République, qui reçoit en outre le soutien de centaines de milliers de soldats américains, doit et peut vaincre.

Après le 11 novembre 1918, Clemenceau sera surnommé le « Père la Victoire ».

La République et la France auront surmonté l'épreuve.

On sait à quel prix.

57

La France a vaincu et survécu.

Mais l'ivresse qui a accompagné l'annonce de l'armistice n'a duré que quelques jours.

L'émotion et la joie se sont prolongées en Alsace et en Lorraine quand Pétain, Foch, Clemenceau et Poincaré ont rendu visite, en décembre 1918, aux provinces et aux villes libérées.

L'humiliation de 1870 était effacée, la revanche, accomplie.

Mais cette fierté n'empêche pas la France de découvrir quelle a, comme trop de ses fils, la « gueule cassée ».

On s'est battu quatre ans sur son sol. Forêts hachées par les obus, sols dévastés, villages détruits, mines de fer ou de charbon inondées, usines saccagées : il va falloir réparer.

L'amertume, la rancœur, parfois la rage, se mêlent, dans l'âme de la France, à l'orgueil d'avoir été vainqueur et au soulagement d'avoir survécu.

Les anciens combattants, qui se rassemblent, veulent rester « unis comme au front ». Ils estiment avoir des droits, parce qu'ils ont payé l'« impôt du sang ». Ils exigent que le gouvernement se montre intransigeant, qu'il obtienne le versement immédiat des « réparations ». « Le Boche doit payer ! »

Et le gouvernement répond : « L'Allemagne paiera. »

Mais, déjà, l'historien Jacques Bainville écrit : « Soixante millions d'Allemands ne se résigneront pas à payer pendant trente ou cinquante ans un tribut régulier de plusieurs milliards à quarante millions de Français. Soixante millions d'Allemands n'accepteront pas comme définitif le recul de leur frontière de l'Est, la coupure des deux Prusse, soixante millions d'Allemands se riront du petit État tchécoslovaque... »

Ces lignes sont publiées dans *L'Action française* en mai 1919, au moment où les conditions du traité de paix sont transmises aux délégués allemands.

Les exigences sont dures, non négociables. Ce traité sera perçu comme un « diktat ».

Il prévoit la démilitarisation partielle de l'Allemagne. Le bassin houiller de la Sarre devient propriété de la France. Les Alliés occupent la rive gauche du Rhin ainsi que Mayence, Coblence et Cologne. Une zone démilitarisée de 50 kilomètres de large est instaurée sur la rive droite du Rhin.

L'Allemagne est jugée responsable de la guerre. Elle doit payer des réparations, livrer une partie de sa flotte, des machines, du matériel ferroviaire. Sur la frontière orientale, la Tchécoslovaquie est créée, la Pologne renaît, la Roumanie existe. Autant d'alliés potentiels pour la France.

Mais chaque clause du traité contient en germe une cause d'affrontement entre l'Allemagne et la France.

D'autant que celle-ci est seule : le président des États-Unis, Wilson, qui a réussi à imposer la création d'une Société des Nations, est désavoué à son retour aux États-Unis. Ceux-ci ne ratifieront pas les conclusions de la conférence de la paix (novembre 1919).

Le Royaume-Uni ne veut pas que l'Allemagne soit accablée, contrainte de payer. L'Italie a le sentiment que sa « victoire est mutilée ».

La France est seule. Orgueilleuse et amère, elle célèbre sa revanche.

Le traité de Versailles est signé dans la galerie des Glaces du château de Versailles, le 28 juin 1919, là même où a été proclamé l'Empire allemand, le 18 janvier 1871.

L'honneur et la gloire sont rendus à la patrie.

La fierté des anciens combattants est aussi méritée que sourcilleuse.

Mais on sent l'angoisse et une sorte de désespoir poindre et imprégner l'âme de la France.

Chaque village dresse son monument aux morts, et le deuil – le sacrifice des fils – se trouve ainsi inscrit au cœur de la vie municipale, dans les profondeurs de la nation.

C'est autour de ce monument aux morts qu'on se rassemble, que les anciens combattants se retrouvent « unis comme au front ».

Aux élections législatives du 16 novembre 1919, le Bloc national, constitué par les partis conservateurs et par les républicains modérés, remporte une victoire éclatante et constitue une « Chambre bleu horizon ». De nombreux anciens combattants y ont été élus.

C'est une défaite pour le Parti socialiste, dont le nombre d'adhérents a augmenté rapidement après l'armistice, qui regarde avec passion et enthousiasme les bolcheviks consolider leur pouvoir, qui s'insurge contre l'envoi de militaires français en Pologne, de navires de guerre en mer Noire, d'armes aux troupes blanches qui combattent les rouges.

Mais le verdict des urnes est sans appel : le suffrage universel renvoie l'image d'une France modérée, patriote, qui refuse l'idée de révolution. Même s'il existe des révolutionnaires dans les rangs de la CGT et au sein du Parti socialiste, qui souhaitent la sortie de l'Internationale socialiste et l'adhésion à la IIIe Internationale communiste.

Les oppositions sont vives entre la majorité Bloc national et la minorité séduite par le discours révolutionnaire.

Un signe ne trompe pas : en avril 1919, un jury d'assises a acquitté Raoul Villain, l'assassin de Jaurès.

Une manifestation de protestation rassemblant la « gauche » a eu lieu à Paris – la première depuis 1914. Elle montre la vigueur de cette composante de l'opinion, mais illustre aussi son caractère minoritaire.

En fait, après l'effort sacrificiel de la guerre, le pays se divise.

Chacun puise dans l'histoire nationale les raisons de son engagement.

Les socialistes tentés par le léninisme font un parallèle entre jacobinisme et bolchevisme. La révolution de 1789 – et surtout de 1793 –, la Commune de 1871 leur paraissent préfigurer la révolution prolétarienne et le communisme. La Russie est une Commune de Paris qui a réussi.

On affirme sa solidarité avec les soviets. Des marins de l'escadre française envoyée en mer Noire pour aider les blancs se mutinent.

On conteste la politique d'union sacrée qui a été suivie par les socialistes en 1914. On se convainc que c'était Lénine qui, en prônant le défaitisme révolutionnaire, avait raison.

Au mois de décembre 1920, à Tours, la majorité du Parti socialiste – contre l'avis de Léon Blum – accepte les conditions posées par Lénine pour l'adhésion à l'Internationale communiste.

À côté de la SFIO va désormais exister un Parti communiste, Section française de l'Internationale communiste (SFIC). *L'Humanité* de Jaurès devient son journal.

C'est donc sur la tradition française qu'est greffée la souche bolchevique.

En soi, cette volonté d'imitation d'une expérience étrangère, la soumission acceptée à Moscou sont la preuve que, alors qu'elle est la première puissance du continent après la défaite de l'Allemagne, la France est devenue moins « créatrice » d'histoire, plutôt l'« écho » d'une histoire inventée ailleurs.

Le pays se replie sur sa victoire et sur ses deuils.

Quand le débat s'engage pour savoir quelles dispositions militaires prendre pour se protéger d'une future volonté de revanche et de la contestation allemande du traité de Versailles, le maréchal Pétain propose un système de forteresses qui empêchera toute invasion.

C'est la prise de conscience d'un affaiblissement, malgré la victoire du pays.

On peut lire dans *La Nouvelle Revue française*, en novembre 1919, sous la plume de l'écrivain Henri Ghéon :

« L'être de la France est en suspens. Si le triomphe de nos armes l'a sauvée de la destruction et du servage, il la laisse si anémiée, et de son plus précieux sang, et de son capital-travail, et de son capital-richesse, que sa position, son assiette, est matériellement moins bonne, moins sûre, moins solide, malgré la récupération de deux provinces et l'occupation provisoire du Rhin, qu'en juillet 1914. »

Et Ghéon d'ajouter :

« Il nous paraît que la France n'aura vaincu, qu'elle ne sera, ne vivra qu'en proportion de nos efforts nouveaux pour faire durer sa victoire. »

Mais, après la tension de la guerre, les sacrifices consentis, l'âme de la France a-t-elle encore les ressources pour faire face aux problèmes que la guerre – et la victoire – lui posent : déclin démographique, reconstruction, accord entre les forces sociales et politiques pour adapter le pays, affronter les périls, crise financière d'une nation endettée, appauvrie ?

Or c'est la division qui s'installe.

Les ouvriers, les cheminots et les fonctionnaires se lancent dans la grève, manifestent pour la journée de huit heures (deux morts le 1er mai 1919).

En utilisant la réquisition et la mobilisation du matériel et des cheminots, le gouvernement brise la grève dans les chemins de fer au printemps de 1920.

Échec syndical et politique : des milliers de cheminots (18 000, soit 5 % de l'effectif) sont révoqués.

La justice envisage même la dissolution de la CGT.

Fort de la majorité qu'il détient, le Bloc national, républicain conservateur, inquiet de la vague révolutionnaire qui, à partir de la Russie, semble déferler sur l'Europe, est décidé à briser le mouvement social, donc à creuser un peu plus le fossé entre la majorité de la population et une minorité plus revendicative et contestatrice que révolutionnaire.

L'union sacrée est bien morte.

Pourtant, au-delà des divisions politiques, la république parlementaire continue d'écarter ceux qui, par leur personnalité, leur popularité, tentent de résister aux jeux des combinaisons politiciennes.

En janvier 1920, les parlementaires ont écarté la candidature à la présidence de la République de Georges Clemenceau, homme politique à l'esprit indépendant. À sa place, ils élisent Paul Deschanel.

Quand la folie aura contraint ce dernier à démissionner, en septembre 1920, ils choisiront Alexandre Millerand, ancien socialiste, devenu homme d'ordre et chef du Bloc national.

Mais dès que le même Millerand s'efforcera de donner quelque pouvoir à sa fonction, il rencontrera des oppositions.

Ainsi, deux ans seulement après l'armistice, la France apparaît à la fois épuisée, saignée par la guerre et divisée, cherchant des modèles dans les révolutions et les contre-révolutions qui fleurissent en Europe.

D'aucuns regardent vers Moscou et adhèrent au bolchevisme.

D'autres se tournent vers Rome, où l'on entend résonner le mot « fascisme », inventé en mars 1919 par Benito Mussolini.

Quant au pays profond, il se souvient de ceux qui sont tombés, il fleurit les tombes et les monuments aux morts.

CHRONOLOGIE IV

Vingt dates clés (1799-1920)

1804 : 21 mars, promulgation du Code civil. 2 décembre, couronnement de Napoléon empereur.

1805 : 2 décembre, Austerlitz.

1812 : Campagne et retraite de Russie.

1815 : 1er mars, retour de l'île d'Elbe, et, le 18 juin, Waterloo.

5 mai 1821 : Mort de Napoléon à Sainte-Hélène.

1824 : Mort de Louis XVIII. Accession au trône de son frère Charles X.

27, 28, 29 juillet 1830 : les Trois Glorieuses. Louis-Philippe d'Orléans, roi des Français.

1831 : Révolte des canuts lyonnais.

25 février 1848 : Proclamation de la République.

Juin 1848 : Répression contre les ouvriers des ateliers nationaux.

10 décembre 1848 : Louis-Napoléon Bonaparte élu président de la République.

2 décembre 1851 : Coup d'État. L'Empire sera proclamé le 1er décembre 1852.

4 septembre 1870 : Déchéance de l'Empire. IIIe République.

21-28 mai 1871 : Semaine sanglante. Fin de la Commune.

1875 : Vote de l'amendement Wallon. Le mot « république » dans les textes constitutionnels.

1er mai 1891 : Grèves et incidents à Fourmies.

30 janvier 1898 : « J'accuse ! » de Zola, en défense d'Alfred Dreyfus.

9 décembre 1905 : Loi de séparation de l'Église et de l'État.

3 août 1914-11 novembre 1918 : Déclaration de guerre de l'Allemagne à la France. Armistice de Rethondes.

28 juin 1919 : Signature du traité de Versailles.

LIVRE V

L'ÉTRANGE DÉFAITE
ET LA FRANCE INCERTAINE

1920-2007

1

LA CRISE NATIONALE

1920-1938

58

En une quinzaine d'années – des années 20 aux années 30 du XXe siècle –, la France passe d'un après-guerre à un avant-guerre, même si elle refuse d'imaginer que ce qu'elle vit à partir de 1933 annonce un nouveau conflit contre les mêmes ennemis allemands qu'elle croyait avoir vaincus.

Mais il existe, en fait, plusieurs France, comme si, après la « brutalisation » exercée par la guerre, l'âme de la nation avait non seulement été traumatisée, mais avait éclaté.

Il y a les Français qui pleurent dans les cimetières et se recueillent devant les monuments aux morts.

Il y a les anciens combattants qui se regroupent à partir des années 1930 dans une ligue patriotique antiparlementaire rassemblant ceux qui ont combattu en première ligne : les Croix-de-Feu. Ils seront près de cent cinquante mille.

Il y a ceux que la « boucherie » guerrière a révoltés, qui ne veulent plus revoir « ça ». Ils sont pacifistes. D'autres se pensent révolutionnaires parce que, selon Jaurès, « le capitalisme porte en lui la guerre comme la nuée porte l'orage ». Ceux-là sont devenus communistes.

Il y a ceux qui croient à l'entente possible entre les États.

Ils font confiance à la Société des Nations pour régler les différends internationaux. Ils pleurent en écoutant Aristide Briand, pèlerin de la paix, plusieurs fois président du Conseil et ministre des Affaires étrangères durant sept années, lorsqu'il salue l'adhésion de l'Allemagne à la Société des Nations (1926), signe le pacte Briand-Kellog mettant la guerre hors la loi (1928) ou appelle à la constitution d'une Union européenne (1929) et déclare : « Arrière, les fusils, les mitrailleuses, les canons ! Place à la conciliation, à l'arbitrage, à la paix ! »

Il y a ceux qui, après la « marche sur Rome », la prise du pouvoir par Mussolini (octobre 1922), veulent imiter le fascisme italien et sont parfois financés par lui.

Ils créent un Faisceau des combattants et des producteurs (Georges Valois, 1925), des mouvements qui se dotent d'un uniforme – les Jeunesses patriotes, les Francistes –, comme si ces jeunes hommes qui ont vécu la discipline militaire et porté le bleu horizon ne pouvaient y renoncer et voulaient pour la France un « régime fort », ce que Mussolini a qualifié, dans les années 1930, d'État « totalitaire », inventant ce mot.

Et puis il y a les hommes politiques qui continuent à renverser les gouvernements au Parlement – la moyenne de durée d'un président du Conseil est de six mois !

Ils sont radicaux-socialistes, le parti clé de voûte de la IIIe République, dont les chefs – Édouard Herriot (1872-1957), Édouard Daladier (1884-1970) – peuvent s'associer aussi bien avec les socialistes qu'avec les républicains modérés, comme Poincaré, président de la République jusqu'en 1920, puis plusieurs fois président du Conseil.

Il y a ceux qui veulent oublier et la guerre et l'avenir.

Ils dansent et boivent (la consommation d'alcool a été multipliée par quatre entre 1920 et 1930). Ils se laissent emporter par les rythmes nouveaux des « années folles » (autour de 1925).

Car la France n'est pas seulement une « gueule cassée », elle a aussi « le diable au corps ».

L'auteur de ce roman, publié en 1923, Raymond Radiguet, écrit : « Je flambais, je me hâtais comme les gens qui doivent mourir jeunes et qui mettent les bouchées doubles. »

Et Léon Blum, le socialiste qui, en décembre 1920, au congrès de Tours, avait dit à ses camarades qui, majoritaires, allaient fonder le Parti communiste : « Pendant que vous irez courir l'aventure, il faut que quelqu'un reste pour garder la *vieille maison* », se souvient de ces années-là : « Il y eut quelque chose d'effréné, écrit-il, une fièvre de dépenses, de jouissance et d'entreprise, une intolérance de toute règle, un besoin de mouvement allant jusqu'à l'aberration, un besoin de liberté allant jusqu'à la dépravation. »

En fait, ceux qui s'abandonnent ainsi tentent de fuir la réalité française qui les angoisse.

Ils expriment avec frénésie leur joie d'avoir échappé à la mort, aux mutilations que leurs camarades, leurs frères, leurs pères, ont subies et dont ils portent les marques sur leurs visages, dans leurs corps amputés.

Ils rêvent à l'avant-guerre de 14, devenu la « Belle Époque », oubliant les violences, les injustices, les impuissances, les aveuglements qui avaient caractérisé les années 1900.

L'âme de la France se replie ainsi sur les illusions d'un passé idéalisé, d'un avenir pacifique, et, pour certains, d'une force capable d'imposer aux autres les solutions françaises.

C'est cette combinaison entre refus de voir, angoisse, désir de jouir, souvenir des morts et des malheurs de la guerre, croyance en l'invincibilité française, qui caractérise alors l'âme de la France.

On veut croire en 1923 que Poincaré, en faisant occuper militairement la Ruhr, en s'emparant de ce gage, réussira à obtenir que l'Allemagne paie les réparations que le traité de Versailles a fixées.

On veut croire qu'en construisant une ligne fortifiée (la ligne Maginot, du nom du ministre de la Guerre), comme le souhaite Pétain, on se protégera de l'invasion.

On imagine qu'en s'alliant avec les nouveaux États de l'Europe orientale (Pologne, Tchécoslovaquie, Yougoslavie), on contraindra l'Allemagne « cernée » à une politique pacifique.

Mais on sait aussi que la France s'est affaiblie. Moins de naissances. Aristide Briand confie : « Je fais la politique étrangère de notre natalité. »

On sait que le franc s'est effondré, que l'inflation ronge la richesse nationale, que les prix ont été multipliés par sept entre 1914 et 1928. Les rentiers et les salariés sont les victimes de cette érosion.

Et le rétablissement de la stabilité monétaire entre 1926 et 1929 – le « franc Poincaré » – n'est qu'un répit.

On ne respecte pas les politiciens qui occupent à tour de rôle, comme au manège, les postes ministériels, et dont on sent bien qu'ils sont incapables d'affronter la réalité.

Les radicaux-socialistes sont de toutes les combinaisons. Le Cartel des gauches issu des élections de 1924 ne dure que deux années, et Herriot, le leader radical qui dit s'être heurté au « mur de l'argent », se retrouve dans le même gouvernement que Poincaré...

Les communistes, pour leur part, ont transformé leur parti en machine totalitaire, et leur leader, Maurice Thorez (1900-1964), suivant les directives de Moscou, mène une politique « classe contre classe » dont les premières cibles sont les socialistes. Le parti de Léon Blum est qualifié de « social-fasciste », de « social-flic » !

En fait, la France est divisée entre de grandes masses électorales stables. En 1924, en 1932, en 1936, ce sont quelques centaines de milliers d'électeurs – moins de 5 % du corps électoral – qui se déplacent pour donner une majorité de gauche.

La dépendance accrue de l'exécutif à l'égard des combinaisons parlementaires, la « mobilité » des radicaux qui parlent à gauche mais s'associent souvent avec la droite ou freinent les volontés de réforme, conscients du « conservatisme » de leurs électeurs, empêchent toute politique à longue portée.

Un républicain modéré comme André Tardieu (1876-1945), ancien collaborateur de Clemenceau, qui sera à l'origine de la création des assurances sociales (1928) et des allocations familiales (1932), jauge l'impuissance du système politique : il évoque la « révolution à refaire », mais quittera la vie politique devant l'impossibilité de réformer ce système.

Mais voici que la crise économique de 1929 bouleverse en quelques mois la situation mondiale.

Les hommes politiques français, eux, continuent à s'aveugler.

On célèbre l'empire colonial français lors de l'Exposition coloniale de 1931. On parle d'une France de 100 millions d'habitants au moment même où des troubles nationalistes secouent l'Indochine, où, après la guerre du Rif (1921-1923), la situation au Maroc reste périlleuse, où le nationalisme se manifeste en Algérie et en Tunisie.

Mais c'est surtout la politique de Briand qui vole en éclats.

L'Allemagne, frappée par la crise, ne paie plus les réparations.

Hitler devient chancelier le 30 janvier 1933 et le Reich quitte la Société des Nations, décide de réarmer et de remilitariser la rive gauche du Rhin.

Hitler tente même, en 1934, de s'emparer de l'Autriche (l'Anschluss).

Un front antiallemand se constitue, qui rassemble la France, le Royaume-Uni et l'Italie... fasciste.

Pour quelle politique ?

Quelle confiance peut-on avoir en Mussolini pour défendre les principes de la Société des Nations ?

Le ministre des Affaires étrangères, Barthou, retrouve la tradition de l'alliance franco-russe d'avant 1914. Mais la Russie, c'est l'URSS communiste, et le pacte franco-soviétique suscite l'opposition des adversaires du communisme. Barthou sera assassiné à Marseille en 1934 en même temps que le roi de Yougoslavie. La politique internationale avive ainsi les divisions de la vie politique française.

Contre l'Allemagne, soit ! Mais avec qui ? Mussolini ou Staline ?

Et pourquoi pas l'apaisement avec l'Allemagne nazie ? N'est-ce pas plus favorable aux intérêts français, à nos « valeurs » traditionnelles, que l'entente avec la Russie soviétique ?

Les passions idéologiques déchirent l'âme de la France. Des scandales – Stavisky – secouent le monde politique et font se lever une double vague d'antiparlementarisme : celui des ligues – Croix-de-Feu, Jeunesse patriotes, francistes – et celui des communistes.

Lorsque le gouvernement Daladier déplace le préfet de police de Paris – Chiappe –, soupçonné de complicité avec les ligues, celles-ci manifestent, le 6 février 1934.

Journée d'émeute : une dizaine de morts, des centaines de blessés place de la Concorde.

Paris n'avait pas connu une telle violence depuis plusieurs décennies.

Les Croix-de-Feu ne se sont pas lancés à fond dans la bataille. La prudence et la retenue de leur chef, le colonel de La Rocque, ont empêché qu'on jette « les députés à la Seine ».

Le 12 février, les syndicats, les socialistes et les communistes – unis de fait dans la rue – manifestent au cri de « Le fascisme ne passera pas ! ».

On peut craindre que ces affrontements ne conduisent à une situation de guerre de religion ou de guerre civile comme la France en a si souvent connu.

Perspective d'autant plus grave et « classique »
que les camps qui s'affrontent affichent aussi des
positions radicalement différentes en politique extérieure.

Dès ce mois de février 1934, alors que Hitler passe
en revue les troupes allemandes, que Mussolini
déclare qu'il faut que l'Italie obtienne en Afrique (en
Éthiopie) des récompenses pour sa politique européenne, qu'en Asie le Japon a attaqué la Chine, la
République semble être incapable de susciter une
nouvelle « union sacrée ».

Où est le parti de la France ? Chacun se réclame
de la nation mais regarde vers l'étranger.

Le pouvoir républicain a d'ailleurs cédé devant
l'émeute du 6 février.

Daladier a démissionné.

Il est remplacé par Gaston Doumergue (soixante
et onze ans) qui a été naguère président de la
République. Ce radical-socialiste modéré est
entouré de Tardieu et Herriot.

Le ministre de la Guerre est un maréchal populaire parmi les anciens combattants, Philippe Pétain
(soixante-dix-huit ans).

Comment ces septuagénaires pourraient-ils unir
et galvaniser l'âme de la France blessée, angoissée,
repliée sur elle-même ?

De l'autre côté du Rhin, la jeunesse acclame le
chancelier Hitler.

Il n'a que quarante-cinq ans.

59

À partir de 1934, il n'y aura plus de répit pour la France. Durant quelques semaines, au printemps et au début de l'été 1936, l'opinion populaire aura beau se laisser griser par les accordéons des bals du 14 Juillet dans les cours des usines occupées par les ouvriers en grève, ce ne sera qu'une brève illusion.

L'espoir, le rêve, la jouissance des avantages obtenus du gouvernement du Front populaire – congés payés ; quarante heures de travail par semaine, etc. – seront vite ternis, effacés même, par le déclenchement de la guerre d'Espagne, le 17 juillet 1936, et l'aggravation de la situation internationale.

La France est entrée dans l'avant-guerre.

Mais le pays refuse d'en prendre conscience.

Qui peut accepter, vingt ans seulement après la fin de la Première Guerre mondiale, si présente dans les corps et les mémoires, qu'une nouvelle boucherie recommence à abattre des hommes dont certains sont les survivants de 14-18 ?

Dès lors, on ne veut mourir ni pour les Sudètes, ces 3 millions d'Allemands de Tchécoslovaquie séduits par le Reich de Hitler, ni pour Dantzig, cette « ville libre » séparée du Reich par un « corridor » polonais.

Certes, la France a signé des traités avec la Tchécoslovaquie et la Pologne !

Mais quoi, le respect de la parole donnée vaut-il une guerre ?

Il faut la paix à tout prix, à n'importe lequel !

Et quand, à Munich, le 29 septembre 1938, Daladier et l'Anglais Chamberlain abandonnent sur la question des Sudètes, et donc, à terme, livrent la Tchécoslovaquie à Hitler, c'est dans toute la France un « lâche soulagement », selon le mot de Léon Blum.

Embellie illusoire du Front populaire !

Apparente sagesse de Léon Blum de ne pas intervenir en Espagne pour soutenir un *Frente popular* menacé par le *pronunciamiento* du général Franco !

Lâche soulagement au moment de Munich.

Ce sont là les signes de la crise nationale qui rend la France aboulique, passant de l'exaltation à l'abattement, de brefs élans au repliement.

Aussi les volontaires français qui s'enrôlent dans les Brigades internationales pour aller combattre auprès des républicains espagnols – Malraux est le plus illustre d'entre eux – sont-ils peu nombreux (moins de 10 000).

Même si le « peuple » ouvrier est solidaire de ses camarades espagnols, il aspire d'abord à « profiter » des congés payés et des auberges de jeunesse !

Attitude significative : elle révèle qu'on imagine que la France peut rester comme un îlot préservé alors que monte la marée guerrière.

Et, avec la non-intervention en Espagne, la ligne Maginot, l'accord de Munich, les élites renforcent cette croyance, cette illusion.

Comment, dans ces conditions, préparer la France à ce qui vient : la guerre contre l'Allemagne nazie ?

En fait, durant ces quatre années (de 1934 à 1938), c'est comme si le pays et ses élites avaient été incapables – ou avaient refusé – de voir la réalité, de trancher le nœud gordien de cette crise nationale qui mêlait chaque jour de façon plus étroite politiques intérieure et extérieure.

Au temps du Front populaire, le 14 Juillet, on défile avec un bonnet phrygien, et l'entente des communistes, des socialistes et des radicaux se fait ainsi dans l'évocation et la continuité de la tradition révolutionnaire.

L'hebdomadaire qui exprime cette sensibilité du Front populaire s'intitule *Marianne*.

On célèbre aussi – en mai 1936 – le souvenir de la Commune de Paris en se rendant en cortège au mur des Fédérés en hommage aux communards fusillés au cimetière du Père-Lachaise.

Nouvelle référence révolutionnaire alors que les mesures du Front populaire sont importantes – congés payés, scolarité obligatoire et gratuite jusqu'à quatorze ans –, mais ne « révolutionnent » pas la société française.

Au reste, les radicaux de Daladier, interprètes des classes moyennes, sont des modérés qui n'accepteront jamais une dérive révolutionnaire du Front populaire. D'autant moins que le basculement électoral qui a permis la victoire du Front, aux élections d'avril-mai 1936, ne porte que sur… 150 000 voix !

Les discours et références révolutionnaires ne sont donc qu'illusion, simulacre.

Mais ils sont suffisants pour provoquer l'inquiétude et même une « grande peur » parmi l'opinion modérée, dans les couches moyennes, chez les paysans.

Parce que, derrière le Front populaire, on craint les communistes ; ils ont désormais 76 députés – plus que les radicaux –, et il y a 149 députés socialistes. Ils ont refusé de participer au gouvernement radical et socialiste de Léon Blum, tout en le « soutenant ». Pourquoi, si ce n'est pour « organiser » les masses (les adhérents du Parti communiste sont passés de 40 000 en 1933 à plus de 300 000 en 1937) ?

Les propos révolutionnaires, joints à ces réalités, aggravent les tensions.

Lorsqu'on entend chanter les militants du Front populaire, portant le bonnet phrygien, « *Allons au-devant de la vie. Allons au-devant du bonheur. Il va vers le soleil levant, notre pays* », l'opinion modérée ne craint pas seulement un retour à la terreur de 1793. Ce chant est soviétique.

On a donc peur des bolcheviks au moment précis où les grands procès de Moscou dévoilent la terreur stalinienne.

Donc, indissociablement, à chaque instant de la vie politique, la situation intérieure renvoie à des choix de politique extérieure.

La peur, la haine entre Français s'exacerbent. Salengro, ministre de l'Intérieur de Blum, est calomnié et se suicide. Georges Bernanos écrira : « L'ouvrier syndiqué a pris la place du Boche. » La nation, sur tous les sujets, est divisée.

Ainsi, en 1935, les élites intellectuelles s'indignent dans leur majorité que la France, à la Société des Nations, vote des sanctions contre l'Italie fasciste qui a entrepris la conquête de l'Éthiopie, État membre de la SDN.

Dans les rues du Quartier latin, à Paris, les étudiants de droite manifestent contre le professeur Jèze, défenseur du Négus.

Les académiciens évoquent la mission civilisatrice de l'Italie fasciste face à l'un des pays les plus arriérés du monde : cette « Italie fasciste, une nation où se sont affirmées, relevées, organisées, fortifiées depuis quinze ans quelques-unes des vertus essentielles de la haute humanité ». Et c'est pour protéger l'Éthiopie qu'on risque de déchaîner « la guerre universelle, de coaliser toutes les anarchies, tous les désordres » !

D'un côté, les partisans du Front populaire crient : « Le fascisme ne passera pas ! » ; sur l'autre rive de l'opinion, on affirme que le fascisme exprime les « vertus » de la civilisation européenne.

Quand la guerre d'Espagne se déchaîne, cette fracture ne fait que s'élargir, même si des intellectuels catholiques tels Mauriac, Bernanos et Maritain tentent d'empêcher l'identification entre christianisme et fascisme ou franquisme.

Ces oppositions donnent la mesure de la profondeur de la crise nationale française.

Le gouvernement du Front populaire – avec les peurs et les haines qu'il suscite, dont l'antisémitisme est l'un des ressorts – avive ces tensions, même s'il refuse d'intervenir officiellement en Espagne. Les radicaux s'y seraient opposés. De même, les Anglais sont partisans de cette politique de non-intervention qui est un laisser-faire hypocrite, puisque Italiens et Allemands aident Franco.

Si « le Juif » Léon Blum a dissous les « ligues », elles se reconstituent sous d'autres formes : les

Croix-de-Feu deviennent le Parti social français (PSF). Son « chef », le colonel de La Rocque, rassemble plus de deux millions d'adhérents qui défilent au pas cadencé !

Un autre mouvement, le Parti populaire français (PPF), créé par un ancien dirigeant communiste, Doriot, réunit plus de 200 000 adhérents autour de thèmes fascistes.

À ces partis légaux s'ajoutent des organisations secrètes, comme le Comité social d'action révolutionnaire – la « Cagoule » –, financé par l'Italie fasciste, qui se livre à des attentats provocateurs et, à la demande de Mussolini, perpètre l'assassinat d'exilés politiques italiens comme celui des frères Rosselli.

Tous ces éléments semblent préfigurer une « guerre civile », même si la masse de la population reste dans l'expectative, d'abord soucieuse de paix intérieure et extérieure.

C'est cette tendance de l'opinion que les élites politiques suivent et flattent au lieu de l'éclairer sur les dangers d'une politique d'apaisement.

Dans ces conditions, aucune politique étrangère rigoureuse et énergique, à la hauteur des dangers qui menacent le pays, n'est conduite.

D'ailleurs, le système politique marqué par l'instabilité et l'électoralisme l'interdit.

Les radicaux demeurent le pivot sensible de toutes les combinaisons gouvernementales.

Le 21 juin 1937, ceux du Sénat font tomber Léon Blum, qui, sans illusions, demandait les pleins pouvoirs en matière financière.

C'en est fini du Front populaire, et, en novembre 1938, un gouvernement Daladier reviendra même sur les quarante heures. La grève générale lancée par la CGT sera un échec.

Ceux qui avaient cru à l'embellie, à l'élan révolutionnaire, sont dégrisés. Le mirage s'est dissipé. L'amertume succède à l'espérance.

On avait voulu croire aux promesses et aux réalisations du Front populaire.

On retrouve le scepticisme et on s'enferme dans la morosité et la déception.

La politique extérieure, elle, provoque le désarroi.

Quand, le 7 mars 1936, Hitler, en violation de tous les engagements pris par l'Allemagne, a réoccupé militairement la Rhénanie, le président du Conseil, le radical Albert Sarraut, a déclaré :

« Nous ne sommes pas disposés à laisser placer Strasbourg sous le feu des canons allemands ! »

Une réponse militaire française aurait pu alors facilement briser la faible armée allemande et le nazisme.

Mais, après ses rodomontades, le gouvernement français recule. Il ne veut pas se couper de l'Angleterre. Et, à la veille des élections législatives, il pense que le pays n'est pas prêt à une mobilisation que le haut état-major juge nécessaire si l'on veut contrer l'Allemagne.

Capitulation de fait, lâche soulagement...

Mussolini a compris où se situent la force et la détermination : en janvier 1937, il crée un « axe » italo-allemand, abandonnant à leur sort la France et l'Angleterre.

Même impuissance quand Hitler, en mars 1938, réalise l'Anschluss et entre, triomphant, dans Vienne.

Même renoncement à Munich, le 29 septembre 1938, et même lâche soulagement.

On veut croire que c'est « la paix pour une génération ». À son retour de Munich, on acclame Daladier, « le sauveur de la paix ».

Mais c'est tout le système d'alliances français qui se trouve détruit.

La Tchécoslovaquie est condamnée.

Pourquoi se battrait-on pour la Pologne, maintenant menacée par l'Allemagne qui veut recouvrer Dantzig ?

Et que peut penser l'URSS de cet accord de Munich qui, comme l'écrit un journal allemand, « élimine la Russie soviétique du concept de grande puissance » ?

Car la volonté d'écarter l'URSS de l'Europe et de pousser Hitler vers l'est est évidente à la lecture de l'accord de Munich.

En décembre 1938, le ministre des Affaires étrangères du Reich, Ribbentrop, vient signer à Paris une déclaration franco-allemande.

Ce n'est pas une alliance, mais c'est plus qu'un traité de non-agression.

Pour ne pas heurter les nazis, on a conseillé aux ministres juifs du gouvernement français de ne pas se rendre à la réception donnée à l'ambassade d'Allemagne.

Voilà jusqu'où sont prêtes à s'abaisser les élites politiques françaises !

Et c'est le gouvernement républicain d'un pays souverain, qu'aucune occupation ne contraint, qui prend cette décision !

Elle condamne un système politique et les hommes qui le dirigent.

Comment pourraient-ils demain, dans l'orage qui s'annonce, prendre les mesures radicales et courageuses qu'impose la guerre ?

En fait, écrit Marc Bloch, « une grande partie des classes dirigeantes, celles qui nous fournissaient nos chefs d'industrie, nos principaux administrateurs, la plupart de nos officiers de réserve, défendaient un pays qu'ils jugeaient d'avance incapable de résister ».

Marc Bloch ajoute : « La bourgeoisie s'écartait sans le vouloir de la France tout court. En accablant le régime, elle arrivait, par un mouvement trop naturel, à condamner la nation qui se l'était donné. »

2

L'ÉTRANGE DÉFAITE

1939-1944

60

Pour l'âme de la France, 1939 est la première des années noires.

Le lâche soulagement qui avait saisi le pays à l'annonce de la signature des accords de Munich, la joie indécente qu'avaient manifestée les cinq cent mille Français massés de l'aéroport du Bourget à l'Arc de triomphe pour accueillir le président du Conseil Édouard Daladier ne sont plus que souvenirs.

La guerre est là, fermant l'horizon.

Des dizaines de milliers de réfugiés espagnols franchissent la frontière française pour fuir les troupes franquistes qui, le 26 janvier 1939, viennent d'entrer dans Barcelone.

On ouvre des camps pour accueillir ces réfugiés qui incarnent la débâcle d'une République qui s'était donné un gouvernement de *Frente popular*.

Quelques semaines plus tard, le 15 mars, les troupes allemandes entrent dans Prague : violation cynique par Hitler des accords de Munich, et mort de la Tchécoslovaquie.

Quelques semaines encore, et Mussolini signe avec le Führer un *pacte d'acier*. Les deux dictateurs se sont associés pour conclure avec le Japon un pacte *anti-Komintern*, se constituant en adversaires de l'Internationale communiste dirigée par Moscou.

La France doit-elle dès lors conclure une alliance avec l'URSS contre l'Allemagne nazie ?

La question qui avait taraudé les élites politiques françaises revient en force. Elle provoque les mêmes clivages.

La droite rejette toujours l'idée d'un pacte franco-soviétique. Elle affirme qu'on doit poursuivre la politique d'apaisement, voire de rapprochement avec ces forces rénovatrices mais aussi conservatrices que sont le fascisme, le nazisme, le franquisme.

Bientôt – le 2 mars 1939 –, le maréchal Philippe Pétain sera nommé ambassadeur de France en Espagne auprès de Franco.

Mais, dans le même temps, quelques voix fortes s'élèvent à droite pour affirmer que parmi les périls qui menacent la France, « s'il y a le communisme, il y a d'abord l'Allemagne » (Henri de Kérillis).

L'industriel français Wendel est encore plus clair : « Il y a actuellement un danger bolchevique intérieur et un danger allemand extérieur, dit-il. Pour moi, le second est plus grand que le premier, et je désapprouve nettement ceux qui règlent leur attitude sur la conception inverse. »

En ces premiers mois de 1939, l'âme de la France est ainsi hésitante et toujours aussi divisée.

Mais on sent, de la classe politique au peuple, comme un frémissement de patriotisme, une volonté de réaction contre les dictateurs pour qui les traités ne sont que « chiffons de papier ».

On est révolté par les revendications des fascistes, qui, à Rome, prétendent que Nice, la Corse, la Tunisie et la Savoie doivent revenir à l'Italie.

À Bastia, à Nice, à Marseille, à Tunis, on manifeste contre ces prétentions qui donnent la mesure de l'arrogance du fascisme et de l'affaiblissement de la France.

Daladier, l'homme de Munich, prend la pose héroïque et patriotique : « La France, sûre de sa force, est en mesure de faire face à toutes les attaques, à tous les périls », déclare-t-il le 3 janvier 1939.

On se rassure.

Un million de Parisiens acclament le défilé des troupes françaises et anglaises, le 14 juillet 1939. Douze escadrilles de bombardement survolent Paris, Lyon et Marseille.

On se persuade – les observateurs du monde entier en sont convaincus – que l'armée, l'aviation et la marine françaises constituent encore la force militaire la plus puissante du monde.

Et il y a la ligne Maginot qui interdit toute invasion !

Car aucun Français ne veut la guerre, et l'on espère que la force française suffira à dissuader Hitler de la commencer. Les Allemands doivent se rappeler que la France les a vaincus en 1918.

Ainsi, chaque Français continue de penser que le conflit peut être évité.

Au gouvernement, Paul Reynaud, libéral, indépendant, qui joue aux côtés de Daladier un rôle de plus en plus important, prend des mesures « patriotiques ».

Les crédits militaires, que le Front populaire avait déjà très largement augmentés, le sont à nouveau.

L'ambassadeur allemand Otto Abetz, qui anime ouvertement un réseau proallemand dans les milieux intellectuels et artistiques, est expulsé (29 juillet 1939).

À Londres comme à Paris, des déclarations nombreuses réaffirment que les deux nations démocratiques n'accepteront pas que Hitler, sous prétexte de reprendre Dantzig, entre en Pologne.

« Nous répondrons à la force par la force ! »

Et à la question posée dans un sondage : « Pensez-vous que si l'Allemagne tente de s'emparer de Dantzig, nous devions l'en empêcher, au besoin par la force », 76 % des Français consultés répondent oui, contre 17 % de non.

Ce n'est ni l'union sacrée ni l'enthousiasme patriotique, plutôt une sorte de résignation devant les nécessités. Une acceptation qui pourrait devenir de plus en plus résolue si les élites se rassemblaient pour exprimer l'obligation nationale d'affronter le nazisme et le fascisme, de se battre et de vaincre parce qu'il n'y a pas d'autre issue.

Mais on entend toujours, parmi les élites, le refus de « mourir pour Dantzig ». Et c'est un ancien socialiste, Marcel Déat, qui le répète.

Le pacifisme reste puissant, toujours aussi aveugle à la menace nazie.

Il est influent dans les syndicats de l'enseignement proches des socialistes et au sein même de la SFIO.

Naturellement, le refus de la guerre antinazie est par ailleurs le ressort des milieux attirés par le nazisme, le fascisme ou le franquisme. L'écrivain Robert Brasillach, l'hebdomadaire *Je suis partout* représentent ce courant.

À l'opposé, les communistes apparaissent comme les plus résolus à l'affrontement avec le « fascisme ».

Thorez, leur leader, propose un « Front des Français ».

Le PCF se félicite que des négociations se soient ouvertes, à Moscou, entre Français et Soviétiques. Ces derniers réclament le libre passage de leurs troupes à travers la Pologne pour s'avancer au contact des Allemands. Les Polonais s'y refusent. Ils savent depuis des siècles ce qu'il faut penser de l'« amitié » russe.

Seuls quelques observateurs avertis, comme Boris Souvarine, ancien communiste devenu farouchement antistalinien, n'écartent pas l'éventualité d'un accord germano-soviétique, sorte de figure inversée des accords de Munich, par lequel les deux partenaires, oubliant leurs oppositions idéologiques radicales, associeraient leurs intérêts géopolitiques : les mains libres pour Hitler à l'Est, assorties d'un nouveau partage de la Pologne entre Russes et Allemands, et, à l'Ouest, guerre ouverte contre la France et l'Angleterre.

Ni Berlin ni Moscou n'excluent la guerre entre eux, mais chacun pense que le temps gagné permettra de renforcer sa propre position.

L'aveuglement français face à cette éventualité d'un accord germano-russe participe aussi de la crise nationale.

Les idéologies paralysent la réflexion et repoussent la notion d'intérêt national loin derrière les préoccupations partisanes.

La nation, sa défense et ses intérêts ne sont ni le mobile des choix politiques ni le cœur de l'analyse politique.

C'est là un fait majeur.

Ainsi, pour les communistes, il faut d'abord défendre la politique soviétique, dont ils sont l'un des outils.

Ils en épousent tous les méandres, et, de cette manière, estiment sauvegarder les intérêts de la classe ouvrière française, autrement dit de la France elle-même.

L'idéologie communiste empêche la « compréhension » de ce que sont les intérêts de la nation, qui ne sauraient se réduire à ceux d'une classe, fût-elle ouvrière, encore moins à ceux d'une autre nation, se prétendrait-elle communiste.

Pour les pacifistes, le patriotisme n'est qu'un mot destiné à masquer le nationalisme qui est à l'origine de la guerre. Les nations ne sont que des archaïsmes, des structures d'oppression. Ce ne sont pas leurs intérêts qu'il faut défendre, mais ceux de l'humanité...

Ces pacifistes – qui influencent les socialistes – ne pensent plus en termes de nation.

Les radicaux-socialistes et les socialistes sont des politiciens enfermés dans les jeux du parlementarisme, incapables le plus souvent de prendre une décision et de l'imposer, fluctuant donc entre le désir de paix à tout prix – le « lâche soulagement » – et les rodomontades patriotiques – celles d'un Daladier – intervenant trop tard et qui ne sont pas suivies d'actes d'autorité.

Les modérés, les conservateurs, se souviennent de la « Grande Peur » qu'ils ont éprouvée à nouveau au moment du Front populaire.

Ils craignent les désordres. La guerre antifasciste pourrait permettre aux communistes de prendre le pouvoir, créant une sorte de Commune victorieuse grâce à la guerre.

Ils sont sensibles aux arguments des minorités favorables à une entente avec le fascisme, le franquisme et même le nazisme.

Le succès en Europe de ces régimes d'ordre les fascine. Ils estiment que le moment est peut-être venu, pour les « modérés », de prendre leur revanche sur les partisans d'une République « sociale » qui, à leurs yeux, ont dominé depuis 1880 et sûrement depuis 1924.

Ce courant est influencé par Charles Maurras, qui identifie les intérêts de la nation à ceux des partisans de la « royauté ».

Ainsi, aucune des forces politiques ne place au cœur de son projet et de son action la défense bec et ongles de la nation.

Chacune d'elles est dominée par une idéologie ou par la défense de la « clientèle » qui assure électoralement sa survie.

De ce fait, les « instruments » d'une grande politique extérieure – la diplomatie et l'armée – ne sont ni orientées ni dirigées par la main ferme du pouvoir politique.

Seules quelques personnalités indépendantes d'esprit accordent priorité aux intérêts de la nation et sont capables de prendre des décisions au vu des nécessités nationales sans se soumettre à des présupposés idéologiques.

Mais ces individualités sont peu nombreuses et ne peuvent imposer leurs vues et leurs décisions aux forces politiques ou aux grands corps.

Un Paul Reynaud, par exemple, a soutenu les idées novatrices du colonel de Gaulle – création de divisions blindées – sans réussir à imposer assez tôt leur constitution.

De Gaulle (1890-1970) est évidemment l'un de ces patriotes lucides qui n'ont pas encore le pouvoir de décision ni même celui de l'influence.

Dès 1937, il peut écrire : « Notre haut commandement en est encore aux conceptions de 1919, voire de 1914. Il croit à l'inviolabilité de la ligne Maginot, d'ailleurs incomplète (elle ne couvre pas le massif des Ardennes, réputé infranchissable). [...] Seule la mobilité d'une puissante armée blindée pourrait nous préserver d'une cruelle épreuve. Notre territoire sera sans doute une fois de plus envahi ; quelques jours peuvent suffire pour atteindre Paris. »

De Gaulle anticipe aussi les évolutions de la situation internationale lorsqu'il identifie la menace nazie et le risque d'un accord germano-russe que n'empêchera pas le heurt des idéologies, car, estime-t-il, la géopolitique commande à l'idéologie.

Ils ne sont qu'une poignée, ceux qui ont envisagé cette hypothèse, relevé les signes avant-coureurs du double jeu de Staline.

Le maître de l'URSS négocie avec les Français et les Anglais, d'une part, et, de l'autre, avec les Allemands.

Il écarte le ministre des Affaires étrangères juif, Litvinov, et le remplace par Molotov dès le mois de mai 1939.

Des réfugiés antinazis sont livrés par les Russes aux Allemands.

Le 23 août 1939, la nouvelle de la signature d'un pacte de non-agression germano-soviétique plonge les milieux politiques dans la stupeur, le désarroi, la colère.

Malgré de nombreuses défections, les communistes français vont justifier la position soviétique. Se plaçant ainsi en dehors de la communauté nationale, ils vont subir la répression policière.

Car le pacte signifie évidemment le déclenchement de la guerre.

Le 1er septembre 1939, les troupes allemandes entrent en Pologne – Russes et Allemands se sont « partagé » le pays. L'Angleterre d'abord, puis la France, le 3 septembre, déclarent la guerre à l'Allemagne.

On n'avait pas voulu se battre pour les Sudètes.

On va mourir pour Dantzig.

L'opinion française perd tous ses repères. Les communistes sont désormais hostiles à la « guerre impérialiste » !

La guerre s'impose comme une fatalité.

On la subit sans enthousiasme.

Le frémissement patriotique qui avait saisi l'âme de la France pendant les six premiers mois de 1939 est retombé.

Restent le devoir, l'acceptation morose, l'obligation de faire cette guerre dont on ne comprend pas les enjeux parce qu'à aucun moment les élites politiques n'ont évoqué clairement les intérêts français ni n'ont agi avec détermination.

Les élites ont oublié la France, prétendant ainsi suivre les Français qui, au contraire, attendaient qu'on leur parle de la nation et des raisons qu'il y avait, vingt ans après la fin d'une guerre, de se battre à nouveau et de mourir pour elle.

61

En onze mois, de septembre 1939 à juillet 1940, la France, entrée dans la guerre résignée, mais qui s'imaginait puissante, a été terrassée, humiliée, mutilée, occupée après avoir succombé à une « étrange défaite », la plus grave de son histoire.

Car ce n'est pas seulement la crise nationale qui couvait depuis les années 1930 qui est responsable de cet effondrement.

Si des millions de Français se sont jetés sur les routes de l'exode, si Paris n'a pas été défendu, si deux millions de soldats se sont rendus à l'ennemi, si la IIIe République s'est immolée dans un théâtre de Vichy, et si seulement 80 parlementaires ont refusé de confier les pleins pouvoirs à Pétain, alors que 589 d'entre eux votaient pour le nouveau chef de l'État, c'est que la gangrène rongeait la nation depuis bien avant les années 1930.

C'était comme si, en 1940, la débâcle rouvrait les plaies de 1815, de 1870, qu'on avait crues cicatrisées et qui étaient encore purulentes.

Pis : c'était comme si, à l'origine et à l'occasion de l'« étrange défaite », toutes les maladies, les noirceurs de l'âme de la France s'étaient emparées du corps de la nation, comme s'il fallait faire payer au peuple français aussi bien l'édit de Nantes, la tolérance envers les hérétiques, que la décapitation de Louis XVI et de Marie-Antoinette, la loi de séparation de l'Église et de l'État, la réhabilitation de Dreyfus et le Front populaire !

Le désastre de 1940 fut un temps de revanche et de repentance, le châtiment enfin infligé à un peuple trop rétif.

Il fallait le faire rentrer dans le rang, lui extirper de la mémoire Henri IV et Voltaire, les communards et Blum, et même ce dernier venu, ce grand rebelle, de Gaulle, ce colonel promu général de brigade à titre temporaire en juin 1940 et qui, depuis Londres, clamait que « la flamme de la Résistance française ne doit pas s'éteindre et ne s'éteindra pas ».

Il osait dénoncer le nouvel État français, refuser une « France livrée, une France pillée, une France asservie ».

Le 3 août 1940, on le condamnait à mort par contumace pour trahison et désertion à l'étranger en temps de guerre.

Et Philippe Pétain, beau vieillard patelin de quatre-vingt-quatre ans, derrière lequel se cachaient les ligueurs de 1934, les politiciens ambitieux vaincus en 1936, dont Pierre Laval, tous les tenants de la politique d'apaisement, invitait au retour à la terre, parce que la « terre ne ment pas ».

Il morigénait le peuple, l'invitait à un « redressement intellectuel et moral », à une « révolution nationale » – comme en avaient connu l'Italie, l'Allemagne, l'Espagne. Mais celle-ci serait une contre-révolution française : il fallait oublier la devise républicaine, « Liberté, Égalité, Fraternité », et la remplacer par le nouveau triptyque de l'État français : Travail, Famille, Patrie.

L'ordre moral, celui des années 1870, s'avance avec ce maréchal qui avait dix-sept ans au temps du maréchal de Mac-Mahon et du duc de Broglie.

« Depuis la victoire [de 1918], dit Pétain, l'esprit de jouissance l'a emporté sur l'esprit de sacrifice. On a revendiqué plus qu'on n'a servi. On a voulu épargner l'effort. On rencontre aujourd'hui le malheur. »

Le malheur s'est avancé à petits pas sournois.

« Drôle de guerre » entre septembre et mai 1940.

On ne tente rien, ou presque – une offensive en direction de la Sarre, vite interrompue – pour secourir les Polonais broyés dès le début du mois d'octobre.

Et Hitler, le 6 de ce mois, lance un appel à la paix qui trouble et rassure.

Peut-être n'est-ce là qu'un simulacre de guerre ?

Les Allemands ont obtenu ce qu'ils voulaient ; pourquoi pas une paix honorable ?

Ce qu'il reste de communistes prêche pour elle, contre la guerre conduite par la France impérialiste. Ils ne dénoncent plus l'Allemagne. On les emprisonne, ces martyrs de la paix, et leur secrétaire général, Thorez, a déserté et gagné Moscou !

D'une certaine manière, et bien qu'ils ne soient qu'une minorité, leur propagande renoue avec le vieux fonds pacifiste, antimilitariste, qui travaille une partie du peuple français.

On s'arrange donc de cette « drôle de guerre » sans grande bataille offensive, ponctuée seulement d'« activités de patrouille ». Les élites cherchent tant bien que mal à sortir d'un conflit qu'elles n'ont pas voulu.

Quand les Soviétiques agressent – en novembre – la Finlande, on s'enflamme pour l'héroïsme de ce petit pays dont la résistance est aussi soutenue par... l'Allemagne. On rêve à un renversement d'alliance, à attaquer l'URSS par le sud, à prendre Bakou.

L'idée d'une paix avec Hitler fait son chemin et prolonge la politique d'apaisement de 1938.

Comment, dans ces conditions, le peuple et les troupes seraient-ils préparés à une « vraie » guerre ?

Qui lit, parmi les 80 personnalités auxquelles il l'adresse, le *mémorandum* du général de Gaulle intitulé *L'Avènement de la force mécanique*, dans lequel il écrit : « Cette guerre est perdue, il faut donc en préparer une autre avec la machine » ?

On se réveille en plein cauchemar le 10 mai 1940.

La pointe de l'offensive allemande est dans les Ardennes, réputées infranchissables, et Pétain avait approuvé qu'on ne prolongeât pas la ligne Maginot dans ce massif forestier : la Meuse et lui ne constituaient-ils pas des obstacles naturels bien suffisants ?

Symboliquement, c'est autour de Sedan, comme en 1870, que se joue le sort de la guerre.

Les troupes françaises entrées en Belgique sont tournées.

Il suffit d'une bataille de cinq jours pour que le front soit rompu. À Dunkerque, trois cent mille hommes sont encerclés et évacués par la flotte britannique qui sauve d'abord ses propres soldats.

En six semaines, l'armée française n'existe plus.

Le 14 juin, les Allemands entrent dans Paris.

L'exode de millions de Français – mitraillés – encombre toutes les routes.

Un pays s'effondre.

Le 16 juin, Paul Reynaud, qui a succédé en mars comme président du Conseil à Daladier – et qui a nommé de Gaulle, le 5 juin, sous-secrétaire d'État à la Guerre –, démissionne, remplacé par Philippe Pétain. Le général Weygand, généralissime, a accrédité la rumeur selon laquelle une Commune communiste aurait pris le pouvoir à Paris. La révolution menace. Il faut donc arrêter la guerre.

Le 17 juin, sans avoir négocié aucune condition de reddition et d'armistice, Pétain, s'adresse au pays :

« C'est le cœur serré que je vous dis aujourd'hui qu'il faut cesser le combat. Je me suis adressé cette nuit à l'adversaire pour lui demander s'il est prêt à rechercher avec nous, entre soldats, après la lutte, dans l'honneur, les moyens de mettre un terme aux hostilités. »

Des centaines de milliers de soldats se battaient encore.

Cent trente mille étaient déjà tombés dans cette guerre où les actes d'héroïsme se sont multipliés dès lors que les officiers menaient leurs troupes à la bataille.

Mais le discours de Pétain paralyse les combattants. Pourquoi mourir puisque l'homme de Verdun appelle à déposer les armes alors que l'armistice n'est même pas signé ?

De Gaulle, qui a déjà jugé que la prise du pouvoir par Pétain « est le *pronunciamiento* de la panique », s'insurge contre cette trahison.

La France dispose d'un empire colonial, lance-t-il. La France a perdu une bataille, mais n'a pas perdu la guerre.

Le 18 juin, il parle de Londres : « Le dernier mot est-il dit ? L'espérance doit-elle disparaître ? La défaite est-elle définitive ? Non ! La France n'est pas seule... Cette guerre est une guerre mondiale... Quoi qu'il arrive, la flamme de la Résistance française ne doit pas s'éteindre et ne s'éteindra pas. »

Voix isolée, qui n'est pas entendue dans un pays vaincu, envahi, livré.

Certes ici et là on refuse la reddition. On veut gagner l'Angleterre. On accomplit les premiers gestes de résistance – ce mot que de Gaulle vient de « réinventer ».

À Chartres, le préfet Jean Moulin tente de se suicider pour ne pas signer un texte infamant pour les troupes coloniales.

Mais la France, dans sa masse, est accablée, anéantie.

À Bordeaux, où le gouvernement s'est replié, on arrête Georges Mandel, l'ancien collaborateur de Clemenceau, républicain intransigeant, patriote déterminé.

On le relâchera, mais le temps de la revanche des anti-républicains commence.

C'est le triomphe, par la défaite et l'invasion, d'une partie des élites, celles qui, dans la République, s'étaient senties émigrées, ou bien dont les ambitions n'avaient pu être satisfaites.

Quant au peuple, il pleure déjà ses soldats morts et ses prisonniers.

Il est à la fois désemparé et soulagé.

Comment ne pas avoir confiance en Pétain, le vainqueur de Verdun ?

À Vichy, le 10 juillet 1940, le Maréchal devient chef de l'État.

Il annonce une Révolution nationale.

Dans quelques mois, on fera chanter dans les écoles, en lieu et place de *La Marseillaise* bannie :

Maréchal, nous voilà
Devant toi le sauveur de la France
Nous saurons, nous tes gars
Redonner l'espérance
La patrie renaîtra
Maréchal, Maréchal, nous voilà !

62

1940 : pour la France, c'est le malheur de la défaite et de l'occupation, le règne des restrictions et des vilenies, des lâchetés, même si brûlent quelques brandons d'héroïsme que rien ne semble pouvoir éteindre.

Mais ce sont bien les temps du *malheur*.

Pétain répète le mot comme un vieux maître bougon qui sait la vérité et veut en persuader le peuple.

Il fustige : le malheur est le fruit de l'indiscipline et de l'esprit de jouissance, mâchonne-t-il. Et tout cela, qui remonte à la Révolution française, doit être déraciné.

Plus de *Marseillaise*, donc, mais *Maréchal nous voilà*.

Plus de 14 Juillet, mais célébration de Jeanne d'Arc et institution de la fête des Mères.

Plus de bonnet phrygien, mais la francisque, devenue emblème du régime. Il ne faut plus laisser les illusions, les perversions, corrompre les jeunes qu'on rassemble dans les « Chantiers de jeunesse ».

Quant aux anciens de 14-18, dont Pétain est le glorieux symbole, ils doivent se réunir dans la Légion française des combattants. On les voit, la francisque à la boutonnière, acclamer Pétain à chacun de ses voyages officiels.

Il est le « Chef aimé ». Il suit la messe aux côtés des évêques. Il se promène dans les jardins de l'hôtel du Parc, à Vichy, devenu capitale de l'État français.

On le vénère. On le croit quand il dit, de sa voix chevrotante, pour consoler et rassurer :

« Je fais à la France le don de ma personne pour atténuer son malheur. »

Mais l'armistice a attaché la France à la roue d'une vraie capitulation. Et l'occupant, « correct » et « souriant » aux premiers mois d'occupation, pille, démembre, tente d'avilir le pays.

La nation est partagée en deux par une ligne de démarcation : zone occupée, zone libre.

Il y aura même un ambassadeur de France – du gouvernement de Vichy – à Paris !

L'Alsace et la Lorraine sont allemandes, gouvernées par un *Gauleiter*. Les jeunes gens vont être enrôlés dans la Wehrmacht.

Le Nord et le Pas-de-Calais sont rattachés au commandement allemand de Bruxelles, et une zone interdite s'étend de la Manche à la frontière suisse.

L'Allemand puise dans les caisses : chaque jour, la France lui paie une indemnité suffisante pour nourrir dix millions d'hommes. Il achète avec cet argent les récoltes, les usines, les tableaux.

Les Français qui avaient espéré le retour rapide à l'avant-guerre, le rapatriement des prisonniers, le départ des occupants, s'enfoncent dans l'amertume et le désespoir. Le rationnement, la misère, le froid et l'humiliation ne prédisposent pas à l'héroïsme.

En zone occupée, la présence allemande – armée, police, Gestapo – rappelle à chaque pas la défaite.

En zone libre, on s'illusionne, on arbore le drapeau tricolore le jour de la fête de Jeanne d'Arc. Une « armée de l'armistice » cache ses armes, préparant la revanche, et à Vichy même les officiers du Service de renseignements arrêtent des espions allemands.

La défaite et l'occupation, ce sont aussi ces ambiguïtés, ce double jeu, ces excuses à la lâcheté, aux malversations, au « marché noir », à toute cette érosion des valeurs morales et républicaines.

Le malheur corrompt le pays.

Et la silhouette chenue d'un Pétain en uniforme couvre toutes les compromissions, les délations, les vilenies.

On livre à la Gestapo les antinazis qui s'étaient réfugiés en France.

On promulgue, à partir d'octobre 1940, des lois antisémites, sans même que les Allemands l'aient demandé. Et la persécution commence à ronger la société française, avec son cortège de dénonciations, d'égoïsmes, de lâchetés.

Les 16 et 17 juillet 1942, grande rafle des Juifs à Paris : la tache infamante, sur l'uniforme de l'État français, a la forme d'une étoile jaune.

80 000 de ceux qui ont été raflés, avec le concours de la police française, disparaîtront, déportés, dans les camps d'extermination.

L'ogre nazi est insatiable. Il exige, pour faire fonctionner ses usines de guerre, un Service du travail obligatoire (STO) en Allemagne qui s'applique à tous les jeunes Français.

L'âme de la France est souillée par cette complicité et cette collaboration avec l'occupant, fruits de la lâcheté, de l'ambition – le vainqueur détient le pouvoir, il favorise, il paie, il ferme les yeux sur les malversations –, mais aussi d'un accord idéologique.

Car toutes ces motivations se mêlent.

On est un jeune homme qui, en 1935, manifeste contre les sanctions de la SDN frappant l'Italie fasciste qui a agressé l'Éthiopie.

On a des sympathies pour la Cagoule. On a baigné dans la tradition antisémite illustrée par les œuvres de Drumont, qui ont imprégné les droites françaises.

On aurait été antidreyfusard si l'on avait vécu pendant l'Affaire.

On est aussi patriote, défenseur de cette France-là, « antirévolutionnaire », antisémite.

On fait son devoir en 1939. On est prisonnier, on s'évade comme un bon patriote. On retrouve ses amis cagoulards à Vichy. On y exerce des fonctions officielles. On ne prête pas attention aux lois antisémites. C'est le prolongement naturel de la Révolution nationale.

On est décoré de la francisque par Pétain. Et on a pour ami le secrétaire général de la police, Bousquet, qui organise les rafles antisémites de Paris et fera déporter la petite-fille d'Alfred Dreyfus.

On est resté un beau jeune homme aux mains pures, et quand, en 1943, le vent aura tourné, poussant l'Allemagne vers la défaite, on s'engagera contre elle dans la Résistance.

On pourrait s'appeler François Mitterrand, futur président socialiste de la République.

Jamais d'ailleurs on n'a été pronazi ni même proallemand. On a été partisan d'une certaine France, celle du maréchal Pétain, de la Révolution nationale, qui voit bientôt naître un Service d'ordre légionnaire, noyau de la future Milice, force de police, de répression et de maintien de l'ordre aux uniformes noirs, imitation malingre de la milice fasciste, des SA et des SS nazis.

On n'a pas été choqué quand, le 24 octobre 1940, à Montoire, Pétain a serré la main de Hitler et déclaré : « J'entre aujourd'hui dans la voie de la collaboration. »

On écoute d'autant plus cette voix qui prêche pour une « Europe nouvelle » continentale – Drieu la Rochelle le faisait dès les années 1930 – que les événements ont ravivé le vieux fonds d'anglophobie d'une partie des élites françaises.

Il y a eu l'évacuation du réduit de Dunkerque, où les Anglais ont d'abord embarqué les leurs.

Il y a eu surtout, le 3 juillet 1940, l'attaque de la flotte française en rade de Mers el-Kébir par une escadre anglaise : 1 300 marins français tués, l'indignation de toute la France contre cette agression vécue comme une trahison, alors qu'elle n'était pour les Anglais qu'une mesure de précaution contre un pays qui, contrairement à ses engagements, venait de signer un armistice séparé. Et qu'allait devenir cette flotte ? Un butin pour les Allemands ?

Mais le ressentiment français est grand. Et les cadres de la marine (l'amiral Darlan) sont farouchement antianglais.

Le ressentiment vichyste est alimenté chaque jour par la présence à Londres du général de Gaulle, la reconnaissance par Churchill de la représentativité de cette « France libre » qui s'adresse par la radio au peuple français – « Ici Londres, des Français parlent aux Français » –, l'incitant à la résistance.

Il y a en effet des Français qui résistent et qui veulent exprimer et incarner les vertus propres à l'âme de la France.

Car le patriotisme d'une vieille nation survit au naufrage de la défaite. Il est si profondément ancré dans le cœur des citoyens qu'il est présent jusque chez ceux qui « collaborent » ou s'enrôlent dans la Milice ou dans la légion des volontaires français pour défendre – sous l'uniforme allemand – l'Europe contre le bolchevisme.

C'est un patriotisme « dévoyé », criminel, mais même chez un Joseph Darnand – chef de la Milice, héros des guerres de 14-18 et de 39-40 –, il est perceptible.

Et on peut en créditer, sans que cela leur tienne lieu de justification ou d'excuse, bien des serviteurs de l'État français qui côtoient cependant à Vichy des aigrefins, des cyniques, des ambitieux sordides, des politiciens aigris et ratés, voire des fanatiques, journalistes, écrivains, que la passion antisémite obsède.

Mais la pierre de touche du patriotisme véritable et rigoureux, c'est le refus de l'occupation du sol de la nation et l'engagement dans la lutte pour lui rendre indépendance et souveraineté.

Ce patriotisme-là, il ne se calcule pas, il est instinctif.

L'ennemi occupe la France, il faut l'en chasser. C'est nécessaire. Donc il faut engager le combat.

Dès juin 1940, de jeunes officiers (Messmer), des fonctionnaires (Jean Moulin), des anonymes, des chrétiens (Edmond Michelet), des philosophes (Cavaillès) refusent de cesser le combat, rejettent l'armistice. Ils gagnent Londres, puisque là-bas on continue la lutte.

Ils éditent des tracts, des journaux clandestins qui appellent à la résistance, et certains effectuent pour les Anglais des missions de renseignement.

Ainsi, la défaite fait coexister plusieurs France durant les deux premières années (1940-novembre 1942) de l'Occupation.

Il y a les départements qui échappent à toute autorité française : annexés à l'Allemagne, ou rattachés à la Belgique, ou constituant une zone interdite.

Il y a la zone occupée, de la frontière des Pyrénées à Chambéry en passant par Moulins.

Il y a la « zone libre », l'État français, dont la capitale est Vichy.

Et puis il y a la France libre de Charles de Gaulle, qui, à partir de juillet 1942, s'intitulera France combattante. Elle a commencé à rassembler autour d'elle la France de la Résistance intérieure.

De nombreux mouvements clandestins se sont en effet constitués : Combat, Libération, Franc-Tireur, Défense de la France.

À compter du 22 juin 1941, jour de l'attaque allemande contre l'URSS, les communistes se lancent enfin à leur tour dans la Résistance et en deviennent l'une des principales composantes, engageant leurs militants dans l'action armée – attentats, attaques de militaires allemands, etc.

Le STO, à partir de l'année 1943, provoquera la création de maquis, l'apparition d'une autre France, celle des réfractaires.

Mais les divisions idéologiques, les divergences portant sur les modes d'action, les rivalités personnelles ou de groupe, caractérisent aussi bien cette Résistance que la France libre, les zones occupées ou l'État de Vichy.

La défaite a encore aggravé la fragmentation politique, les oppositions, comme si la France était plus que jamais incapable de se rassembler, comme si la division, cette maladie endémique de l'histoire nationale, était devenue plus aiguë que jamais, symptôme de la gravité du traumatisme subi par la nation.

À Londres, de Gaulle ne regroupe durant les premiers mois que quelques milliers d'hommes. Et il y a déjà, au sein de la France libre, des « antigaullistes ».

Lorsqu'il tente la reconquête des colonies d'Afrique noire, les Français vichystes de Dakar font échouer l'entreprise (septembre-octobre 1940). Elle réussit en Afrique-Équatoriale avec Leclerc de Hauteclocque. Peu à peu se constituent des Forces françaises libres, qui compteront, en 1942, près de soixante-dix mille hommes.

Mais la « guerre civile » menace toujours : en Syrie, en 1941, les troupes fidèles à Vichy affrontent les « gaullistes ».

À Vichy, autour du Maréchal – dont l'esprit, dit-on, n'est éveillé, et la lucidité, réelle, qu'une heure par jour ! –, les querelles et les ambitions s'ajoutent aux choix politiques différents.

Pierre Laval, président du Conseil, est renvoyé par Pétain en décembre 1940, puis son retour est imposé (en avril 1942) par les Allemands, qui, en fait, sont les maîtres. Peut-être pour s'assurer encore mieux de leur soutien, Laval déclare : « Je souhaite la victoire de l'Allemagne. »

À Paris, Marcel Déat et Jacques Doriot dirigent, l'un le Rassemblement national populaire, l'autre, le Parti populaire français.

Ils incarnent une collaboration idéologique qui critique la « modération » de Vichy et souhaite une « fascisation du régime ».

Une partie de la pègre, contrôlée par les Allemands, s'est mise au service des nazis pour traquer les résistants, les torturer, dénoncer et spolier les Juifs. Elle bénéficie d'une totale impunité, associant vol, trafic, marché noir, pillage et répression.

La collaboration a ce visage d'assassins.

Mais la Résistance est elle aussi divisée sur les modalités d'action comme sur les projets politiques.

L'entrée des communistes et leur volonté de « tuer » l'ennemi sans se soucier des exécutions d'otages sont critiquées par certains mouvements de résistance, et même par le général de Gaulle.

On s'oppose aussi sur les rapports entre la Résistance intérieure et la France libre. De Gaulle n'aurait-il pas les ambitions d'un « dictateur » ?

D'autres sont hostiles à la représentation des partis politiques au sein de la Résistance, puisque ces partis sont estimés responsables de la défaite par nombre de résistants, alors même que Vichy a fait arrêter, afin de les juger, Blum, Daladier et Reynaud. Mais le procès, amorcé à Riom, tourne à la confusion de Vichy et sera donc interrompu.

On s'interroge même sur les relations qu'il convient d'avoir avec Vichy et avec l'armée de l'armistice. Certains résistants nouent là des liens ambigus, sensibles qu'ils sont à l'idéologie de l'État français.

Ainsi, les cadres de Vichy formés dans l'école d'Uriage sont à la fois des partisans de la Révolution nationale et des patriotes antiallemands.

C'est en fait la question du futur régime de la nation, une fois qu'elle aura été libérée, qui est déjà posée.

On craint une prise de pouvoir par les communistes, ou le retour aux jeux politiciens de la IIIe République, ou le pouvoir personnel de De Gaulle ; on espère une « rénovation » des institutions, des avancées démocratiques et sociales prenant parfois la forme d'une authentique révolution.

Mais ces oppositions, ces conflits, cette guerre civile larvée, ne concernent en fait qu'une minorité de Français.

Le peuple survit et souffre, « s'arrange » avec les cartes de rationnement, le « marché noir », les restrictions de toute sorte.

Il continue de penser – surtout en zone libre – que Pétain le protège du pire.

L'entrée en guerre de l'URSS (22 juin 1941), puis des États-Unis (7 décembre 1941), la résistance anglaise, l'échec allemand devant Moscou (décembre 1941), le confirment dans l'idée que le IIIe Reich ne peut gagner la guerre.

Qu'un jour, donc, la France sera libérée.

On commence à souffrir à partir de 1942 des bombardements anglais et américains (qui deviendront presque quotidiens en 1944). Ils provoquent des milliers de victimes, mais on est favorable aux Alliés. On attend leur « débarquement ». On écoute la radio anglaise et de Gaulle.

On imagine même qu'entre la France libre et la France de Vichy il y aurait un partage des tâches : Pétain protège, de Gaulle combat.

La figure de De Gaulle conquiert ainsi, au fil de ces mois, une dimension héroïque et presque mythologique.

Les exploits des Forces françaises libres – Bir Hakeim, en mai 1942 – sont connus. On ignore en revanche les conflits qui opposent les Américains à de Gaulle.

On désire l'unité de la nation.

Et de Gaulle comprend que, s'il veut s'imposer aux Anglo-Américains, il lui faut rassembler autour de lui toute la Résistance intérieure, unir les Forces françaises libres et les résistants.

La tâche qu'il confie à Jean Moulin est donc décisive : il s'agit d'unifier la Résistance et de lui faire reconnaître l'autorité de De Gaulle. Ce qui assurera, face aux Alliés, la représentativité et la prééminence du Général, adoubé par toutes les forces françaises combattantes, qu'elles soient à l'intérieur ou à l'extérieur de la France.

Mais, à la fin de 1942, si l'Allemagne engagée dans la bataille de Stalingrad a potentiellement perdu la guerre, rien n'est joué pour la France.

Réussira-t-elle à recouvrer sa souveraineté et son indépendance, donc sa puissance, sa place en Europe et dans le monde ?

Tel a été, dès juillet 1940, le projet de De Gaulle, qui s'est fixé pour objectif de faire asseoir la France « à la table des vainqueurs ».

Mais les États-Unis de Roosevelt ne le souhaitent pas.

De Gaulle est pour eux un personnage incontrôlable, parce que trop indépendant. Or, selon leurs plans, la France cesse d'être une grande puissance. Ils envisagent même de la démembrer et de lui arracher son empire colonial.

Ils n'ont pas même prévenu de Gaulle de leur débarquement en Afrique du Nord française, le 8 novembre 1942.

Ils veulent l'éliminer de l'avenir politique français.

Une nouvelle partie décisive vient de s'engager pour de Gaulle, et donc pour la France.

63

En ce début du mois de novembre 1942, alors que les barges de débarquement américaines s'approchent des côtes de l'Algérie et du Maroc, le sort de la France est sur le fil du rasoir.

Quel sera son régime alors que la victoire des Alliés sur l'Allemagne est annoncée, même si personne ne peut encore savoir quand elle interviendra ?

Cette incertitude planant sur l'avenir de la nation ne sera pas levée avant le mois d'août 1944, quand Paris prendra les armes, dressera ses barricades, retrouvant le fil de l'histoire, associant les élans et les formes révolutionnaires à l'insurrection nationale.

Mais, jusque-là, tout demeure possible.

La donne internationale change.

Les États-Unis ont pris le pas sur le Royaume-Uni, Roosevelt sur Churchill.

« De Gaulle est peut-être un honnête homme, écrira le 8 mai 1943 le président des États-Unis au Premier ministre britannique, mais il est en proie au complexe messianique... Je ne sais qu'en faire. Peut-être voudriez-vous le nommer gouverneur de Madagascar ? »

En fait, c'est aux rapports de forces en Europe que pensent Roosevelt et Churchill, et, au fur et à mesure que la menace nazie s'affaiblit – bientôt, on le sait, elle disparaîtra –, au danger croissant que représente l'URSS.

La confrontation avec le communisme a été cachée sous la grande alliance contre l'Allemagne. Mieux valait s'allier avec Staline que se soumettre à Hitler. Mais l'opposition entre les démocraties et l'Union soviétique refait surface et commence même à envahir les esprits à la fin de 1942.

Dans cette perspective, peut-on faire confiance à de Gaulle ?

L'URSS a été parmi les premiers États à reconnaître la France libre.

De plus, le Parti communiste français et ses Francs-tireurs et partisans (FTP), ou encore la Main-d'œuvre immigrée (MOI), auteur des attentats les plus spectaculaires, jouent un rôle majeur dans la Résistance intérieure que de Gaulle entend rassembler autour de lui.

L'ancien préfet Jean Moulin, qu'il a chargé de cette tâche, est soupçonné par certains d'être un agent communiste.

Plus fondamentalement, il y a la tradition française d'alliance avec la Russie comme moyen d'accroître le poids de la France en Europe. Or cela n'apparaît souhaitable ni aux Américains ni aux Anglais.

Dès lors, ce qui s'esquisse en novembre 1942 – puis tout au long de l'année 1943 –, c'est une politique qui favoriserait le passage du gouvernement de Vichy de la collaboration avec l'Allemagne à l'acceptation du tutorat américain.

La continuité de l'État serait ainsi assurée, écartant les risques de troubles, de prise du pouvoir par les communistes et/ou de Gaulle.

Cette politique se met en place à l'occasion du débarquement américain en Afrique du Nord.

L'amiral Darlan – qui, en 1941, a ouvert aux Allemands les aéroports de Syrie, et qui est le numéro un du gouvernement après le renvoi de Laval – se trouve à Alger.

Les Américains le reconnaissent comme président, chef du Comité impérial français : mutation réussie d'un « collaborateur » de haut rang en rallié aux Américains.

« Ce qui se passe en Afrique du Nord du fait de Roosevelt est une ignominie, dira de Gaulle. L'effet sur la Résistance en France est désastreux. »

Les Américains poussent aussi le général Giraud à jouer les premiers rôles – en tant que rival de De Gaulle. Giraud s'est évadé d'Allemagne, c'est à la fois un adepte de la Révolution nationale, un fervent de Pétain et un anti-allemand.

Mais cet « arrangement », qui évite toute rupture politique entre l'occupation et la libération, et ferait de Vichy le gouvernement de la transition, la France changeant simplement de « maîtres », va échouer.

D'abord parce que les hommes de Vichy ne sont pas à la hauteur de ce dessein.

Au lieu de rejoindre Alger comme il en avait eu l'intention, Pétain reste à Vichy alors même que la zone libre est occupée par les troupes allemandes le 11 novembre 1942.

L'armée de l'armistice n'ébauche pas même un simulacre de résistance.

La flotte – joyau de Vichy – se saborde à Toulon le 27 novembre. Cet acte est le symbole de l'impuissance de Vichy.

Darlan est assassiné le 24 décembre par un jeune monarchiste lié à certains gaullistes, Fernand Bonnier de La Chapelle. Et Giraud, soldat valeureux mais piètre politique, ne peut rivaliser avec de Gaulle, en dépit du soutien américain.

En fait, c'est l'âme de la France qui s'est rebellée contre cette tentative de la soumettre à une nouvelle sujétion.

Le patriotisme, la volonté de voir la nation recouvrer son indépendance et sa souveraineté, de retrouver sa fierté par le combat libérateur, le sentiment que l'histoire de la France lui dicte une conduite à la hauteur de son passé, qu'il faut effacer cette « étrange défaite », ce 1940 qui est un écho de 1815 et de 1870 – Pétain en Bazaine, et non plus le « chef vénéré » –, ont peu à peu gagné l'ensemble du pays.

Cela ne se traduit pas par un soulèvement général.

La Résistance représente à peine plus de 2 % de la population.

Mais ces FFI, ces FTPF, ces réfractaires, ces maquisards, ces « terroristes », ne sont pas seulement de plus en plus nombreux – le risque du travail obligatoire en Allemagne pousse les jeunes vers la clandestinité dans les villages, les maquis : leurs actions sont approuvées.

Les Allemands (la Gestapo) et les miliciens mènent des opérations de répression efficaces, mais, même s'ils remportent des succès – en juin 1943, arrestation à Calluire des chefs de la Résistance, dont Jean Moulin –, ils ne peuvent étouffer ce mouvement qui vient des profondeurs du pays.

Ce désir de voir renaître la France est si fort que, le 27 mai 1943, les représentants des différents mouvements et partis politiques créent – grâce à la ténacité de Jean Moulin, l'« unificateur » – le Conseil national de la Résistance.

Le CNR élabore un programme politique, économique et social qui le situe dans le droit fil de la République sociale et du Front populaire, par opposition aux principes de la Révolution nationale.

Le CNR reconnaît l'autorité du général de Gaulle, chef de la France combattante.

Dès lors, de Gaulle ne peut que l'emporter face à Giraud.

Il deviendra le président du Comité français de Libération nationale, créé le 3 juin 1943. Une Assemblée consultative provisoire est mise en place le 17 septembre 1943.

« C'est le début de la résurrection des institutions représentatives françaises », dit de Gaulle.

Une armée est reconstituée. Elle libérera la Corse en septembre 1943 – après la capitulation italienne du 8 septembre. Cent trente mille soldats (Algériens, Marocains, Européens d'Algérie) combattront en Italie. L'armée française comptera bientôt 500 000 hommes.

Pétain, Laval et leur gouvernement, dans une France entièrement occupée, ne sont plus que des ombres avec lesquelles jouent les Allemands.

Lorsqu'il tente de justifier sa politique, Laval déclare le 13 décembre 1942 : « C'est une guerre de religion que celle-ci. La victoire de l'Allemagne empêchera notre civilisation de sombrer dans le communisme. La victoire des Américains serait le triomphe des Juifs et du communisme. Quant à moi, j'ai choisi... Je renverserai impitoyablement tout ce qui, sur ma route, m'empêchera de sauver la France. »

Mais sa parole – sans doute sincère – ne peut être entendue. Elle se heurte à la réalité d'une occupation qui devient impitoyable.

Le 26 décembre, vingt-cinq Français sont exécutés à Rennes pour avoir fait sauter le siège de la Légion des volontaires français contre le bolchevisme et le bureau de recrutement de travailleurs français pour l'Allemagne.

Qui peut croire au patriotisme de Laval ?

De Gaulle, au contraire, incarne la France qui a soif de renouveau, d'une République sociale, mais aussi l'ordre, le sens de l'État, le patriotisme qui rassemble toutes les tendances françaises.

Il est le symbole de l'union sacrée.

Cette réussite est due à la conjugaison d'un homme d'État exceptionnel, comme la nation en suscite quand elle est au fond de l'abîme, et du soutien des plus courageux des Français, sachant dépasser leurs divisions et leurs querelles gauloises.

Lui, de Gaulle, a foi en la France, porte un projet pour elle, fait preuve d'une volonté et d'une lucidité hors pair. Il est l'égal des plus grands dont les noms jalonnent l'histoire nationale. Eux, pour le temps du combat salvateur, le soutiennent. Et parce qu'ils sont ensemble, le chef charismatique et les citoyens dévoués à la patrie, rien ne peut leur résister.

Cependant, les Américains s'obstinent.

De Gaulle, chef légitime du Gouvernement provisoire de la République, n'est pas averti de la date et du jour du débarquement en France.

Des dispositions sont prises par les Alliés pour traiter la France en pays « occupé », administré par les autorités militaires. Sa monnaie est déjà imprimée par les Alliés.

La France « libérée » ne pourra recouvrer ni son indépendance ni sa souveraineté.

De Gaulle n'est autorisé à prendre pied en France que huit jours après le débarquement du 6 juin 1944.

Mais la France alors se soulève, payant cher le prix de cet élan (le Vercors, les Glières, tant d'autres combats et tant d'autres villes où sont exécutés des otages : pendus de Tulle, population massacrée d'Oradour-sur-Glane, etc.).

De Gaulle, le 6 juin, a lancé : « C'est la bataille de France, c'est la bataille de la France », et, replaçant ce moment dans la trajectoire nationale, il ajoute : « Derrière le nuage si lourd de notre sang et de nos larmes, voici que reparaît le soleil de notre grandeur ! »

Paris s'insurge le 19 août 1944.

Acte symbolique majeur : « Paris outragé, Paris martyrisé, mais Paris libéré, libéré par lui-même avec le concours des armées de la France. »

La population a dressé des barricades – tradition des journées révolutionnaires.

Les combats sont sévères (3 000 tués, 7 000 blessés). Les chars de la 2e division blindée du général Leclerc – de Gaulle a dû arracher au commandement allié l'autorisation d'avancer vers Paris – et la démoralisation allemande permettent, le 25 août, d'obtenir la reddition de l'occupant.

Forces françaises de l'intérieur et Forces françaises libres sont donc associées dans cette « insurrection » victorieuse.

Les millions de Parisiens rassemblés le 26 août de l'Arc de triomphe à Notre-Dame, qui acclament de

Gaulle, expriment l'âme de la France, lavée de la souillure de la défaite et des compromissions comme si elle voulait faire oublier ses lâchetés, sa passivité, son attentisme.

Ainsi le passé héroïque de Paris et de la nation est-il ressuscité par ces journées de combats.

« L'histoire ramassée dans ces pierres et dans ces places, dit de Gaulle, on dirait qu'elle nous sourit. »

Un témoin ajoute que de Gaulle, ce jour-là, semblait « sorti de la tapisserie de Bayeux ».

Quatre années noires, commencées en mai 1940, s'achèvent en ce mois d'août 1944.

Elles ont condensé dans toutes leurs oppositions, et même leurs haines, les tendances contradictoires de l'histoire de la France. Chaque Français, engagé dans les combats de ces années-là, les a vécus comme la continuation d'autres affrontements enfouis dans le tréfonds de la nation.

La Révolution nationale aura été une tentative, à l'occasion de la défaite, de revenir sur les choix que la nation avait faits avec Voltaire, puis la Révolution française. Il s'agissait de retrouver la « tradition » en l'adaptant aux circonstances du XXe siècle, en s'inspirant de Salazar, le dictateur portugais, de Franco et de Mussolini plus que de Hitler.

Mais c'était nier le cours majeur de l'histoire nationale, la spécificité de la France.

Et aussi la singularité de De Gaulle, homme de tradition, mais ouverte, celle-ci, et unifiant toute la nation, ne la divisant pas.

C'est parce que ce choix et ce projet correspondent à l'âme de la France qu'ils s'imposent en août 1944.

3

L'IMPUISSANCE RÉPUBLICAINE

1944-1958

64

Combien de temps ceux qui parlent au nom de la
France – de Gaulle, les représentants des partis politiques et des mouvements de résistance – resteront-
ils unis ?

Dès août 1944, le regard qu'ils portent sur les
« années noires » les oppose déjà.

Chacun veut s'approprier la gloire et l'héroïsme
de la Résistance, masquer ainsi ses calculs, ses
ambiguïtés, ses lâchetés et même ses trahisons.

Les communistes du PCF font silence sur la
période août 1939-22 juin 1941, quand ils
essayaient d'obtenir des autorités d'occupation le
droit de faire reparaître leur journal *L'Humanité*.
N'étaient-ils pas alors les fidèles servants de l'URSS,
partenaire des nazis ?

En 1944-1945, alors que la guerre continue
(Strasbourg sera libéré le 23 novembre 1944, les
troupes de Leclerc entrent à Berchtesgaden le 4 mai
1945, la capitulation allemande intervient le 8 mai
et le général de Lattre de Tassigny est présent aux
côtés des Américains, des Russes et des Anglais :
victoire diplomatique à forte charge symbolique),
les communistes se proclament le « parti des
fusillés » – soixante-quinze mille héros de la

Résistance, précise Maurice Thorez, déserteur rentré amnistié de Moscou et bientôt ministre d'État.

Le tribunal de Nuremberg dénombrera trente mille exécutés.

Ce qui se joue, c'est la place des forces politiques dans la France qui recouvre son indépendance. Le comportement des hommes et des partis durant l'Occupation sert de discriminant. On réclame l'épuration et la condamnation des traîtres, des « collabos », avec d'autant plus d'acharnement qu'on ne s'est soi-même engagé dans la Résistance que tardivement.

La magistrature, qui a tout entière – à un juge près ! – prêté serment à Pétain et poursuivi les résistants, condamne maintenant les « collabos ».

On fusille (Laval), on commue la peine de mort de Pétain en prison à vie. Il y a, durant quelques semaines, l'esquisse d'une justice populaire, expéditive, comme l'écho très atténué des jours de violence qui marquèrent jadis les guerres de Religion ou la Révolution, qui tachent de sang l'histoire nationale. Les passions françaises resurgissent.

En 1944, vingt mille femmes, dénoncées, accusées de complaisances envers l'ennemi, sont tondues, promenées nues, insultées, battues, maculées.

Des miliciens et des « collabos » sont fusillés sans jugement. On dénombre peut-être dix mille victimes de ces exécutions sommaires.

Dans le milieu littéraire, le Comité national des écrivains met à l'index, épure, sous la houlette d'Aragon.

Robert Brasillach est condamné à mort et de Gaulle refuse de le gracier malgré les appels à la clémence de François Mauriac.

Drieu la Rochelle se suicidera, prenant acte de la défaite de ses idées, de l'échec de ses engagements.

Jean Paulhan – un résistant – critiquera, dans sa *Lettre aux directeurs de la Résistance*, ces communistes devenus épurateurs, qui n'étaient que des « collaborateurs » d'une espèce différente : « Ils avaient fait choix d'une autre collaboration. Ils ne voulaient pas du tout s'entendre avec l'Allemagne, non, ils voulaient s'entendre avec la Russie. »

C'est bien la question de la Russie soviétique et des communistes qui, en fait, domine la scène française.

Ceux-ci représentent en 1945 près de 27 % des voix, et vont encore progresser.

Avec les socialistes (SFIO) – 24 % des voix –, ils disposent de la majorité absolue à l'Assemblée constituante élue le 21 octobre 1945.

Mais les socialistes préfèrent associer au gouvernement le Mouvement républicain populaire (MRP, 25,6 % des voix), issu de la Résistance et d'inspiration démocrate-chrétienne.

Ainsi se met en place un « gouvernement des partis » : d'abord tripartisme (MRP, SFIO, PCF) puis « Troisième Force » quand le PCF sera écarté du pouvoir à partir de 1947.

En 1944-1945, c'est encore l'union, mais déjà pleine de tensions.

De la résistance victorieuse, passera-t-on à la révolution ?

En août 1944, un Albert Camus le souhaitera. Mais la révolution, est-ce abandonner le pouvoir aux mains des communistes ?

Le risque existe : des milices patriotiques en armes, contrôlées par ces derniers, sont présentes dans de nombreux départements.

Le Front national, le Mouvement de libération nationale, sont des « organisations de masse » dépendantes en fait du PCF.

On peut craindre une subversion, voire une guerre civile, en tout cas une paralysie de l'État républicain soumis au chantage communiste.

La première bataille à conduire doit donc avoir pour but d'affirmer la continuité de la République et de l'État.

De Gaulle s'y emploie en déclarant aux membres du CNR qui lui demandent de proclamer la République, le 26 août 1944 : « La République n'a jamais cessé d'être [...] Vichy fut toujours nul et non avenu. Moi-même, je suis président du gouvernement de la République. Pourquoi vais-je la proclamer ? »

Attitude radicale et lourde de sens.

Si Vichy a « été nul et non avenu », sans légitimité, les lois qu'il a promulguées, les actes qu'il a exécutés, n'ont aucune valeur légale. Ils n'engagent en rien la France.

Les lois antisémites, la rafle des 16 et 17 juillet 1942, ne peuvent être imputées à la nation.

La France n'a pas à faire repentance. Ce sont des individus – Pétain, Laval, Darnand, Bousquet – qui doivent répondre de leurs actes criminels, et non la France.

La France et la République étaient incarnées par de Gaulle, la France libre et le Conseil national de la Résistance.

Les vilenies, les lâchetés et les trahisons sont rapportées à des individus, non à la nation.

L'âme de la France ne saurait être entachée par les crimes de Vichy.

Pirouette hypocrite ?

Décision raisonnée pour que le socle sur lequel est bâtie la nation, qui doit beaucoup au regard que l'on porte sur son histoire, ne soit pas fissuré, brisé, corrodé.

Mais, dans cette France dont l'histoire ne saurait être ternie, en sorte qu'on puisse continuer à l'aimer et donc à se battre pour elle, à assurer son avenir, l'État ne peut être affaibli.

Or la principale menace vient des communistes, adossés à l'URSS, dont l'ombre s'étend sur l'Europe.

Ils sont forts de leur engagement dans la Résistance – fût-il tardif et plein d'arrière-pensées –, des « organisations de masse » qu'ils contrôlent et de leur poids électoral. De Gaulle, dont la personnalité et l'action, en 1944, ne peuvent être contestées, exige et obtient le désarmement des milices patriotiques, l'enrôlement des résistants dans l'armée régulière, le rétablissement des autorités étatiques (préfets, etc.). Il refuse aux communistes les postes gouvernementaux clés – Affaires étrangères, Intérieur, Armées – et met sa démission en jeu pour imposer cette décision.

En même temps, il applique le programme économique et social du CNR, et répète que « l'intérêt privé doit céder à l'intérêt général ».

Les nationalisations – des houillères, de l'électricité, des banques –, la création des comités d'entreprise, sont les bases d'une « République sociale » dans le droit fil des mesures prises par le gouvernement de Front populaire, mais en même temps relèvent de la tradition interventionniste de l'État dans la vie économique, inscrite dans la longue durée de l'histoire nationale, de François Ier à Louis XIV, de la Révolution aux premier et second Empires.

La France de 1944-1946 retrouve ainsi les éléments de son histoire que la collaboration avait – mais non sur tous les plans – voulu effacer, s'affirmant comme l'expression d'une autre tradition : non pas 1936, mais 1934, non plus l'édit de Nantes, mais la Saint-Barthélemy ; non plus la Ligue des droits de l'homme et les dreyfusards, mais la Ligue des patriotes et les antidreyfusards.

Cette « restauration » de l'État centralisé, issu de la monarchie absolue, mais aussi des Jacobins et des Empires napoléoniens, se retrouve dans la politique extérieure.

Il s'agit d'assurer à la France sa place dans le concert des Grands.

De Gaulle a réussi à imposer la présence d'un général français à la signature de l'acte de capitulation allemande.

Il obtient une zone d'occupation française en Allemagne, à l'égal de la Grande-Bretagne, des États-Unis et de l'URSS.

Avec cette dernière, il a signé un traité d'amitié (décembre 1944), manière d'affirmer l'indépendance diplomatique de la France alors que s'annonce la politique des blocs.

En même temps, la France reçoit un siège permanent – avec droit de veto – au Conseil de sécurité de l'Organisation des nations unies. Paris est choisi comme siège de l'Unesco. La France a ainsi retrouvé son rang de grande puissance, et quand on se remémore l'effondrement total de 1940 on mesure l'exceptionnel redressement accompli.

Le fait que la France ait été capable, dans la dernière année de la guerre, de mobiliser plusieurs centaines de milliers d'hommes (500 000) engagés dans les combats en Italie et sur le Rhin, puis en Allemagne, a été la preuve de la reconstitution rapide de l'État national et a favorisé la réadmission de la France parmi les grandes puissances.

Elle est l'un des vainqueurs.

Le plus faible, certes, le plus blessé en profondeur, celui qui commence déjà à subir en Indochine et en Algérie – à Sétif, le 8 mai 1945 – les revendications d'indépendance des nationalistes des colonies.

Mais elle peut à nouveau faire entendre sa voix, envisager une entente avec l'Allemagne.

Depuis 1870, entre les deux nations, c'est une alternance de défaites et de revanches : 1870, effacé par la victoire de 1918 ; celle-ci gommée par l'étrange défaite de 1940, annulée à son tour par la capitulation allemande de 1945. Se rendant cette année-là à Mayence, de Gaulle, face à cet affrontement toujours renouvelé et stérile entre « Germains et Gaulois », peut dire :

« Ici, tant que nous sommes, nous sortons de la même race. Vous êtes, comme nous, des enfants de l'Occident et de l'Europe. »

Ces constats ne peuvent devenir les fondations d'une politique étrangère nouvelle que si le régime échappe aux faiblesses institutionnelles qui ont caractérisé la IIIe République.

Ainsi se pose à la France, dès la fin de 1944, la question de sa Constitution.

De Gaulle a obtenu par référendum, contre tous les partis, que l'Assemblée élue le 21 octobre 1944 soit constituante.

Mais, dès les premiers débats, les partis politiques choisissent de soumettre le pouvoir exécutif au pouvoir parlementaire, le président de la République se trouvant ainsi réduit à une fonction de représentation.

On peut prévoir que les maux de la IIIe République – instabilité gouvernementale, jeux des partis, méfiance à l'égard de la consultation directe des électeurs par référendum – paralyseront de nouveau le régime, le réduisant à l'impuissance.

De Gaulle tire la conséquence de cet état de fait et démissionne le 20 janvier 1946 en demandant « aux partis d'assumer leurs responsabilités ».

C'est la fin de l'unité nationale issue de la Résistance. Dès le 16 juin 1946, le Général se présente comme le « recours » contre la trop prévisible impotence de la IVe République qui commence.

La France unie a donc été capable de restaurer l'État, de reprendre sa place dans le monde. Mais les facteurs de division issus de son histoire, avivés par la conjoncture internationale (la guerre froide s'annonce, isolant les communistes, liés *perinde ac cadaver* à l'URSS), font éclater l'union fragile des forces politiques. Les partis veulent être maîtres du jeu comme sous la IIIe République. L'exécutif leur est soumis. Il ne peut prendre les décisions qui s'imposent alors que, dans l'empire colonial, se lèvent les orages.

65

De 1946 à 1958, durant la courte durée de vie de la IVe République, la France change en profondeur. Mais le visage politique du pays s'est à peine modifié. Le président du Conseil subit la loi implacable de l'Assemblée nationale. Il lui faut obtenir une investiture personnelle, puis, une fois le gouvernement constitué, il doit solliciter à nouveau un vote de confiance des députés.

L'Assemblée est donc toute-puissante, et le Conseil de la République (la deuxième chambre, qui a remplacé le Sénat) n'émet qu'un vote consultatif.

Dès lors, comme dans les années 1930, l'instabilité gouvernementale est la règle. Chaque député influent espère chevaucher le manège ministériel. Mais ce sont le plus souvent les mêmes hommes qui se succèdent, changeant de portefeuilles.

Ces gouvernements, composés conformément aux règles constitutionnelles, sont parfaitement légaux. Mais, question cardinale, sont-ils légitimes ? Quel est le rapport entre le « pays légal » et le « pays réel » ?

Il n'est pas nécessaire d'être un disciple de Maurras pour constater le fossé qui se creuse entre les élites politiques et le peuple qu'elles sont censées représenter et au nom duquel elles gouvernent.

Cette fracture, si souvent constatée dans l'histoire nationale, s'élargit jour après jour, crise après crise, entre 1946 et 1954, année qui représentera, avec le début de l'insurrection en Algérie, un tournant aigu après lequel tout s'accélère jusqu'à l'effondrement du régime, en mai 1958.

La discordance entre gouvernants et gouvernés est d'autant plus nette que le pays et le monde ont, pendant cette décennie, été bouleversés par des changements politiques, technologiques, économiques et sociaux.

À partir de 1947, la guerre froide a coupé l'Europe en deux blocs. Les nations de l'Est sont sous la botte russe.

Le « coup de Prague » en 1948, le blocus de Berlin par les Russes, la division de l'Allemagne en deux États, la guerre de Corée en 1950, la création du Kominform en 1947, de l'OTAN en 1949, auquel répondra le pacte de Varsovie, le triomphe des communistes chinois (1949), tous ces événements ont des conséquences majeures sur la vie politique française.

Le 4 mai 1947, les communistes sont chassés du gouvernement. L'anticommunisme devient le ciment des majorités qui se constituent et n'existent que grâce à une modification de la loi électorale qui, par le jeu des « apparentements », rogne la représentation parlementaire communiste.

Le PCF ne perd pas de voix, au contraire, mais il perd des sièges. En 1951, avec 26 % des voix, il a le même nombre de députés que les socialistes, qui n'en rassemblent que 15 % !

La « troisième force » (SFIO, MRP et députés indépendants à droite) est évidemment légale, mais non représentative du pays.

Elle l'est d'autant moins qu'autour du général de Gaulle s'est créé en 1947 le Rassemblement du peuple français (RPF), qui va obtenir jusqu'à 36 % des voix.

De Gaulle conteste les institutions de la IVᵉ République, « un système absurde et périmé » qui entretient la division du pays alors qu'il faudrait retrouver « les fécondes grandeurs d'une nation libre sous l'égide d'un État fort ».

Même s'il dénonce les communistes, qui « ont fait vœu d'obéissance aux ordres d'une entreprise étrangère de domination », de Gaulle est considéré par les partis de la « troisième force » comme un « général factieux », et Blum dira : « L'entreprise gaulliste n'a plus rien de républicain. »

En fait, l'opposition entre les partis de la « troisième force » et le mouvement gaulliste va bien au-delà de la question institutionnelle. Certes, inscrites dans la tradition républicaine, il y a le refus et la crainte du « pouvoir personnel », le souvenir des Bonaparte, du maréchal de Mac-Mahon, et même du général Boulanger, la condamnation de l'idée d'« État fort ». L'épisode récent du gouvernement Pétain – encore un militaire ! – a renforcé cette allergie.

La République, ce sont les partis démocratiques qui la font vivre. L'autorité d'un président de la République disposant d'un vrai pouvoir est, selon eux, antinomique avec le fonctionnement républicain.

Mais, en outre, le « gaullisme » est ressenti comme une forme de nationalisme qui conduit au jeu libre et indépendant d'une France souveraine.

Or, la « troisième force », c'est la mise en œuvre de limitations apportées à la souveraineté nationale, la construction d'une Europe libre sous protection américaine (l'OTAN).

La Communauté européenne du charbon et de l'acier (CECA) est constituée en 1951. Elle doit être le noyau d'une Europe politique de six États membres, et doit déboucher sur une Communauté européenne de défense (CED) dans laquelle l'Allemagne sera présente et donc réarmée.

L'homme qui, par ses idées, sa détermination, son entregent et son activisme diplomatique, est la cheville ouvrière de cette politique européenne a nom Jean Monnet.

Dès 1940, il s'est opposé au général de Gaulle. À chaque étape de l'histoire de la France libre, il a tenté de faire prévaloir les points de vue américains, pesant à Washington pour qu'on écarte de Gaulle et nouant des intrigues à Alger, en 1942-1943, pour parvenir à ce but.

Or il est le grand ordonnateur de cette politique européenne qui trouve sa source dans la volonté d'en finir avec les guerres « civiles » européennes – et donc de parvenir à la réconciliation franco-allemande –, mais ambitionne d'être ainsi un élément de la politique américaine de *containment* de l'Union soviétique, ce qui implique la soumission des États nationaux fondus dans une structure européenne orientée par les États-Unis.

Sur ce point capital, la « troisième force » dénonce la convergence entre communistes et gaullistes hostiles à l'Europe supranationale. Elle se présente comme l'expression d'une politique démocratique opposée aux « extrêmes » qu'elle combat.

Le général de Gaulle se trouve ainsi censuré, puisqu'il est devenu le chef du RPF.

Quant aux communistes et au syndicat CGT qu'ils contrôlent, leurs manifestations sont souvent interdites, dispersées, suivies d'arrestations.

Les grèves du printemps 1947 – prétexte à l'éviction des communistes du gouvernement –, puis celles, quasi insurrectionnelles, de 1948 sont brisées par un ministre de l'Intérieur socialiste, Jules Moch, qui n'hésite pas à faire appel à l'armée.

En 1952, les manifestations antiaméricaines du 28 mai pour protester contre la nomination à la tête de l'OTAN du général Ridgway, qui a commandé en Corée, donnent lieu à de violents affrontements ; des dirigeants communistes sont arrêtés.

Mais, face à ces ennemis « de l'intérieur », le système politique tient. En 1953, le RPF ne recueille plus que 15 % des voix. Ses députés sont attirés par le manège ministériel, et de Gaulle continue sa « traversée du désert » en rédigeant ses Mémoires à la Boisserie, sa demeure de Colombey-les-Deux-Églises.

Si les oppositions au « système » ne réussissent pas à le renverser, c'est que, de 1946 à 1954, le fait qu'il soit « absurde et périmé » (selon de Gaulle) ne perturbe pas le mouvement de la société.

Car si la vie politique ressemble de plus en plus à celle des années 1930 et 1940 – instabilité gouvernementale, scandales, « manège ministériel » –, le pays, lui, subit des bouleversements profonds que le système politique ne freine pas, mais tend même à favoriser.

C'est la période des « Trente Glorieuses », de la modernisation économique du pays, de la révolution agricole, qui transforme la société française par la multiplication des activités industrielles et du nombre des ouvriers, l'exode rural, la croissance de la population urbaine.

Cette période est certes traversée de mouvements sociaux – grèves en 1953, par exemple, dans la fonction publique pour les salaires –, du mécontentement de catégories que l'évolution marginalise – artisans, petits commerçants –, sensibles aux discours antiparlementaires d'un Pierre Poujade.

On proteste contre le poids des impôts. Mais, dans le même temps, Antoine Pinay, président du Conseil et ministre des Finances, rassure par sa politique budgétaire, la stabilisation du franc. Le niveau de vie des Français croît.

La voiture, l'électroménager, la vie urbaine, modifient les comportements. Une France différente apparaît. Les mœurs changent. Les femmes ont le droit de vote, elles travaillent. Et un véritable babyboom – préparé par les mesures natalistes de Paul Reynaud en 1938, puis de Vichy – marque ces années 1946-1954 et confirme la vitalité de la nation. L'« étrange défaite » ne l'a pas terrassée.

Cet après-guerre illustre ainsi la capacité qu'à toujours eue la France, au long de son histoire, à basculer dans les abîmes, à connaître les débâcles, à sembler définitivement perdue parce que divisée, dressée contre elle-même, envahie, « outragée », puis à se ressaisir, renaître tout à coup et reprendre sa place parmi les plus grands.

Autre caractéristique de l'histoire nationale : les crises qui mettent en cause l'âme du pays sont celles qui associent les maladies internes du système politique et les traumatismes nés de la confrontation avec le monde extérieur.

C'est presque toujours dans ses rapports avec les « autres » que la France risque de se briser. Comme si, trop narcissique, trop enfermée dans son hexagone, trop persuadée de sa prééminence, elle pensait depuis toujours qu'elle l'emporterait sur ceux qui osent la défier.

Simplement parce qu'elle est la France.

Cette France « que la Providence a créée pour des succès achevés ou des malheurs exemplaires [...] n'est réellement elle-même qu'au premier rang... La France ne peut être la France sans la grandeur » (de Gaulle).

Elle ne « voit » pas les autres tels qu'ils sont, y compris ceux qui participent, quoique différents et éloignés de la métropole, à l'Union française, nom donné par la IVe République à l'empire colonial.

C'est sur ce terrain que le système politique va affronter les crises les plus graves.

Le jeu politicien, qui peut être le moyen de régler avec habileté une crise sociale – on élargit sa majorité, on renverse un président du Conseil, on accorde quelques satisfactions aux syndicats –, ne suffit plus.

C'est d'insurrection nationale – et communiste – qu'il s'agit, en 1946, en Indochine. Paris a réagi en faisant bombarder Haiphong.

L'année suivante, la rébellion de Madagascar est noyée dans le sang, comme l'a été, le 8 mai 1945, l'émeute algérienne de Sétif.

Or ces répressions ne résolvent pas le problème posé.

Et le système, prisonnier de ses indécisions, va conduire, de 1946 à 1954, une « sale guerre » en Indochine, ponctuée de défaites, de scandales, de protestations – « Paix en Indochine ! » crieront les communistes.

Des milliers de soldats et d'officiers tombent dans les rizières.

À partir de 1949, la victoire communiste en Chine apporte au Viêt-minh une aide en matériel qui rend encore plus précaire la situation des troupes françaises.

Les chefs militaires jugent que le « système » refuse de leur donner les moyens de vaincre. Le 7 mai 1954, lorsqu'ils sont défaits à Diên Biên Phu, dans une bataille « classique », ils le ressentent douloureusement et mettent en cause le régime. Cette défaite ébranle la IVe République.

Pierre Mendès France, combattant de la France libre, radical courageux, est investi le 18 juin 1954. Président du Conseil, il veut incarner, porté par un mouvement d'opinion, une « République moderne » apte à rénover le pays et dont le chef soit capable de prendre des décisions.

C'est un nouveau style politique qui apparaît avec « PMF ».

Il cherche le contact direct avec l'opinion. Un journal est lancé – *L'Express* – pour le soutenir.

L'homme, vertueux, récuse le soutien des députés communistes. Il ne veut pas des voix des « séparatistes ».

Le 20 juillet 1954, il signe un accord de paix avec le Viêt-minh sur la base de la division provisoire de l'Indochine à hauteur du 17e parallèle. Après ce succès, Mendès France évoque à Carthage un nouveau statut pour la Tunisie.

Pour les uns, la « droite conservatrice », il est celui qui « brade » l'empire.

Pour les autres, la gauche réformatrice et certains gaullistes, il est l'homme politique qui peut rénover la République.

Mais, dans le cadre des institutions existantes, il est à la merci d'un changement de majorité, de la défection de quelques députés.

On lui reproche de ne pas s'être engagé dans la bataille à propos de la Communauté européenne de défense contre laquelle se sont ligués communistes, gaullistes et tous ceux qui sont hostiles au réarmement allemand.

La France rejette la CED le 30 août 1954. Une majorité de l'opinion a refusé d'entamer la souveraineté nationale en matière de défense.

La position de Pierre Mendès France est en outre fragilisée par les attentats qui se produisent en Algérie le 1er novembre 1954, et qui, par leur nombre, annoncent, quelques mois après la défaite de Diên Biên Phu, qu'un nouveau front s'est ouvert.

PMF déclare : « Les départements d'Algérie constituent une partie de la République française. Ils sont français depuis longtemps, et d'une manière irrévocable. »

Et son ministre François Mitterrand de préciser : « L'Algérie c'est la France ! »

Malgré ces déclarations martiales, Pierre Mendès France est renversé le 5 février 1955.

Au-delà même des désaccords politiques qu'on peut avoir avec le président du Conseil, il est dans la logique même du système de ne pas tolérer, à la tête de l'exécutif, une personnalité politique qui s'appuie sur l'opinion et peut ainsi contourner les députés. Le régime d'assemblée peut laisser un chef de gouvernement tenter de régler à ses risques et périls un problème brûlant, la guerre d'Indochine. Mais sa réussite même implique qu'il soit renvoyé pour ne pas attenter, par son autorité et son prestige, aux pouvoirs du Parlement.

Ce régime a besoin de médiocres. Il se défait des gouvernants trop populaires.

Or Pierre Mendès France l'était.

Mais ce système ne peut fonctionner et durer que si les crises qu'il affronte sont aussi « médiocres » que les hommes qu'il promeut. Or, le 1er novembre 1954, l'Algérie et la France ont commencé de vivre une tragédie.

66

En une dizaine d'années, de 1945 à 1955, la France a repris le visage et la place d'une grande nation.

L'abîme de 1940 semble loin derrière elle, mais, sous ses pas qui se croient assurés, le sol s'ouvre à nouveau.

L'armée est humiliée après Diên Biên Phu.

Et voici qu'on s'apprête à abandonner Bizerte, la grande base militaire de la Méditerranée, parce qu'on accorde l'indépendance à la Tunisie.

On a agi de même au Maroc.

Or on commence déjà à égorger en Algérie. Un Front de libération nationale (FLN) s'est constitué. En août 1955, dans le Constantinois, il multiplie les attentats, les assassinats.

Va-t-on abandonner à son tour l'Algérie ?

Elle est composée de départements. On y dénombre, face à 8 400 000 musulmans, 980 000 Européens.

Les officiers, vaincus en Indochine, soupçonnent le pouvoir politique d'être prêt à une nouvelle capitulation, bien qu'il répète : « L'Algérie c'est la France. »

Le chef d'état-major des armées fera savoir au président de la République, René Coty, que « l'armée, d'une manière unanime, ressentirait comme un outrage l'abandon de ce patrimoine national. On ne saurait préjuger de sa réaction de désespoir. »

Ce message émane, au mois de mai 1958, du général Salan, commandant en chef en Algérie.

Si ce mois de mai 1958 marque le paroxysme de la crise, en fait, dès janvier 1955, tout est en place pour la *tragédie algérienne*.

Lorsqu'il publie un essai sous ce titre, en juin 1957, Raymond Aron a clairement identifié les termes du problème : la France ne dispose pas des moyens politiques, diplomatiques et moraux pour faire face victorieusement aux revendications nationalistes.

L'attitude de l'armée, l'angoisse des Français d'Algérie – les « pieds-noirs » –, l'impuissance du régime et le contexte international sont les ressorts de cette tragédie.

De Gaulle – toujours retiré à Colombey-les-Deux-Églises, mais l'immense succès du premier tome de ses Mémoires (*L'Appel*, 1954) montre bien que son prestige est inentamé – confie en 1957 :

« Notre pays ne supporte plus la faiblesse de ceux qui le dirigent. Le drame d'Algérie sera sans doute la cause d'un sursaut des meilleurs des Français. Il ne se passera pas longtemps avant qu'ils soient obligés de venir me chercher. »

Seuls quelques gaullistes engagés dans les jeux du pouvoir – Chaban-Delmas sera ministre de la Défense, Jacques Soustelle a été nommé par Pierre Mendès France, en janvier 1955, gouverneur général de l'Algérie – espèrent ce retour de De Gaulle et vont habilement en créer les conditions.

Mais la quasi-totalité des hommes politiques y sont, en 1955, résolument hostiles, persuadés qu'ils vont pouvoir faire face à la crise algérienne. Ils ne perçoivent ni sa gravité, ni l'usure du système, ni le mépris dans lequel les Français tiennent ce régime.

Il a fallu treize tours de scrutin pour que députés et sénateurs élisent le nouveau président de la République, René Coty !

Aux élections anticipées de janvier 1956, le Front républicain conduit par Pierre Mendès France l'emporte, mais c'est le leader de la SFIO, Guy Mollet, qui est investi comme président du Conseil.

Déception des électeurs, qui ont le sentiment d'avoir été privés de leur victoire. D'autant que Guy Mollet, qui se rend à Alger le 6 février 1958 afin d'y installer un nouveau gouverneur général – Soustelle a démissionné –, est l'objet de violentes manifestations européennes, et que le général Catroux, gouverneur désigné, renonce.

Cette capitulation du pouvoir politique devant l'émeute algéroise – soutenue à l'arrière-plan par les autorités militaires et administratives, et par tous ceux qui sont partisans de l'Algérie française – ferme la voie à toute négociation.

Elle ne laisse place qu'à l'emploi de la force armée contre des « rebelles » prêts à toutes les exactions au nom de la légitimité de leur combat.

Des populations qui ne rallient pas le FLN sont massacrées, des soldats français prisonniers, suppliciés et exécutés.

Ainsi l'engrenage de la cruauté se met-il en branle, et derrière le mot de « pacification » se cache une guerre sale : camps de regroupement, tortures afin de faire parler les détenus et de gagner la « bataille d'Alger » – printemps-été 1957 – par n'importe quel moyen et d'enrayer la vague d'attentats déclenchés par le FLN. Et « corvées de bois » – liquidation des prisonniers. On peut aussi administrer la mort dans les formes légales en guillotinant les « rebelles ».

C'est une plaie profonde, une sorte de gangrène qui atteint l'âme de la France.

Des écrivains (Mauriac, Malraux, Sartre, Pierre-Henri Simon) et des professeurs (Pierre Vidal-Naquet, Jean-Pierre Vernant, Henri-Irénée Marrou) s'élèvent contre la pratique de la torture par l'armée française.

On les censure, on les poursuit, on les révoque.

Face à eux se dressent d'autres intellectuels, des officiers qui n'entendent pas subir une nouvelle défaite. Ils estiment qu'il faut, dans ce type d'affrontement, pratiquer une « guerre révolutionnaire » inéluctable si l'on veut éradiquer une guérilla, neutraliser les terroristes.

Le débat touche toute la nation à partir de 1956.

Le gouvernement Guy Mollet – qui obtient les pleins pouvoirs – rappelle plusieurs classes d'âge sous les drapeaux, envoie le contingent en Algérie, prolonge de fait le service militaire jusqu'à vingt-neuf mois. Deux millions de jeunes Français ont ainsi participé à cette guerre.

Des manifestations de « rappelés » tentent de bloquer les voies ferrées pour arrêter les trains qui les conduisent dans les ports d'embarquement.

Des écrivains se rassemblent dans un « Manifeste des 121 » pour appuyer le « droit à l'insoumission » (Claude Simon, Michel Butor, Claude Sarraute,

Jean-François Revel, Jean-Paul Sartre) en septembre 1960.

Mendès France, ministre d'État, démissionne le 23 mai 1956 du gouvernement Guy Mollet afin de marquer son opposition à cette politique algérienne.

La France vit ainsi de manière de plus en plus aiguë, à partir de 1956, un moment de tensions et de divisions qui fait écho aux dissensions qui l'ont partagée tout au long de son histoire.

On évoque l'affaire Dreyfus. On recueille, à la manière de Jaurès, des preuves pour établir les faits, identifier les tortionnaires, condamner ce pouvoir politique qui a remis aux militaires – le général Massu à Alger – les fonctions du maintien de l'ordre en laissant l'armée agir à sa guise, choisir les moyens qu'elle juge nécessaires à l'accomplissement de sa mission.

La « gangrène » corrompt ainsi le pouvoir politique et certaines unités de l'armée dans une sorte de patriotisme dévoyé.

Certains officiers s'insurgent contre cette guerre qui viole le droit : ainsi le général Pâris de Bollardière, héros de la France libre. D'autres tentent de faire la part des choses afin de conjuguer honneur et efficacité.

Le responsable de ce chaos moral est à l'évidence un pouvoir politique hésitant, instable et impuissant.

En 1956, outre l'envoi du contingent en Algérie – choix d'une solution militaire à laquelle on accorde tous les moyens, et les pleins pouvoirs sur le terrain –, il a tenté de remporter une victoire politique.

Violant le droit international, le gouvernement a détourné un avion de ligne et arrêté les chefs du FLN.

Puis, en octobre-novembre 1956, en accord avec le Royaume-Uni et l'État d'Israël, la France participe à une expédition militaire en Égypte afin de riposter à la nationalisation du canal de Suez décidée par les Égyptiens. Mais, pour Guy Mollet, s'y ajoute l'intention de frapper les soutiens internationaux du FLN en abattant au Caire le régime nationaliste du colonel Nasser.

Le moment paraît bien choisi : les Russes font face à une révolution patriotique en Hongrie.

Les États-Unis sont à la veille d'une élection présidentielle.

Guy Mollet espère aussi obtenir un regain de popularité dans l'opinion, satisfaite d'une opération militaire réussie – et qu'on exalte –, et favorable au soutien à Israël.

Mais Russes et Américains vont dénoncer conjointement cette initiative militaire, et les troupes franco-britanniques seront rapatriées.

Cet échec scelle une nouvelle étape dans la décomposition de la IVe République et annonce celle du Parti socialiste.

Il confirme que la « tragédie algérienne » domine la politique française.

Des événements lourds de conséquences – le traité de Rome, qui crée la Communauté économique européenne et Euratom en 1957, la loi-cadre de Gaston Defferre pour l'Union française, ou même l'attribution d'une troisième semaine de congés payés – sont éclipsés par les graves tensions que crée la guerre d'Algérie.

Le sort de la IVe République est bien déterminé par elle.

Il est scellé au mois de mai 1958, en quelques jours.

Paris et Alger sont les deux pôles de l'action.

À Paris, le 13 mai, Pierre Pflimlin, député MRP, est investi à une très large majorité (473 voix contre 93, les communistes lui ayant apporté leurs suffrages). Président du Conseil, on le soupçonne d'être un partisan de la négociation avec le FLN.

À Alger, depuis plusieurs mois, des gaullistes veulent se servir des complots que trament les « activistes », décidés à maintenir l'Algérie française avec l'appui de l'armée, pour favoriser un retour du général de Gaulle.

Le 13 mai, des manifestants envahissent les bâtiments publics – le siège du Gouvernement général – et les mettent à sac.

Le général Massu prend la tête d'un « Comité de salut public » qui réclame au président de la République la constitution d'un « gouvernement de salut public ».

En même temps, des éléments de l'armée préparent une opération « Résurrection » dont le but est d'envoyer en métropole des unités de parachutistes.

La perspective d'un coup d'État militaire est utilisée par les gaullistes pour lancer l'idée d'un recours au général de Gaulle, seul capable d'empêcher le *pronunciamiento*.

À Paris, de Gaulle, le 19 mai, au cours d'une conférence de presse, se montre disponible. Tout en n'approuvant pas le projet de coup d'État – qu'il ne désavoue cependant pas –, il affirme qu'il veut rester dans le cadre de la légalité en se présentant en candidat à la direction du pays.

Ce double jeu réussit, avec la complicité du président Coty, qui entre en contact avec le Général et le désigne en fait pour assurer la charge suprême.

Pflimlin démissionne le 27 mai.

La gauche manifeste le 28, dénonçant la manœuvre, répétant que « le fascisme ne passera pas », marchant derrière Mitterrand, Mendès France, Daladier et le communiste Waldeck Rochet.

Mais les jeux sont faits : un accord a été passé avec Guy Mollet et les chefs des groupes parlementaires. Mitterrand seul l'a refusé.

Le 1er juin, la manœuvre gaulliste, utilisant la menace de coup d'État mais demeurant formellement dans le cadre de la légalité, a abouti : devant l'Assemblée nationale, de Gaulle obtient 329 voix contre 224.

Il dispose des pleins pouvoirs.

Le gouvernement – qui comprend notamment André Malraux, Michel Debré, Guy Mollet, Pierre Pflimlin – est chargé de préparer une Constitution.

Le 4 juin, de Gaulle se rend en Algérie. Il est acclamé et lance : « Je vous ai compris » et « Vive l'Algérie française ! »

L'ambiguïté demeure : de Gaulle a été appelé pour résoudre le problème algérien. Par la négociation ou par une guerre victorieuse ? En satisfaisant les partisans de l'Algérie française, ou en inventant un nouveau statut pour l'Algérie, voire en lui accordant l'autodétermination et l'indépendance ?

De Gaulle a les moyens d'agir.

La Constitution, qui est à la fois présidentielle et parlementaire, mais donne de larges pouvoirs au président élu par un collège de 80 000 « notables », permet à l'exécutif d'échapper aux jeux parlementaires, même si le gouvernement doit obtenir la confiance des députés.

Avec l'article 16, le président dispose en outre d'un moyen légal d'assumer tous les pouvoirs et de placer *de facto* le pays en état de siège.

Le 28 septembre 1958, par référendum, 79,2 % des votants approuvent la Constitution.

La IVe République est morte. La Ve vient de naître.

Le 21 décembre, de Gaulle est élu président de la République par 78,5 % des voix du collège des « grands électeurs », où les élus locaux écrasent par leur nombre les parlementaires.

Le 9 janvier, Michel Debré est nommé Premier ministre.

L'impuissance de la IVe République a donc conduit à sa perte.

La crise, qui pouvait déboucher sur une guerre civile, s'est dénouée dans le respect formel des règles et des procédures républicaines. Mais le passage d'une République à l'autre s'est déroulé sous la menace – le chantage ? – d'un coup d'État.

Aux yeux de certains (Pierre Mendès France avec sincérité, Mitterrand en habile politicien), là est le péché originel de la Ve République. Selon eux, la Constitution gaulliste ne pourrait donner naissance qu'à un régime de « coup d'État permanent ».

En fait, le pays apaisé a choisi l'homme dont il pense qu'il peut en finir avec la tragédie algérienne.

Mais de Gaulle voit plus loin :

« L'appel qui m'est adressé par le pays exprime son instinct de salut. S'il me charge de le conduire, c'est parce qu'il veut aller non certes à la facilité, mais à l'effort et au renouveau. En vérité, il était temps ! »

Est-ce, en germe, la manifestation d'un malentendu ?

Le pays et les hommes politiques appellent ou acceptent de Gaulle pour régler un problème précis. De Gaulle, lui, est porté par une ambition nationale de grande ampleur.

Quoi qu'il en soit, la IVe République était condamnée :

« Quand les hommes ne choisissent pas, écrit Raymond Aron en 1959, les événements choisissent pour eux. La fréquence des crises ministérielles discréditait le régime aux yeux des Français et des étrangers. À la longue, un pays ne peut obéir à ceux qu'il méprise. »

Surtout si ce pays a l'âme de la France.

4

L'EFFORT
ET L'ESPOIR GAULLIENS

1958-1969

67

Durant plus de dix ans, de juin 1958 à avril 1969, la France a choisi de Gaulle.

Au cours de cette décennie, le peuple, consulté à plusieurs reprises par voie de référendum, à l'occasion d'élections législatives ou dans le cadre d'une élection présidentielle au suffrage universel (1965), s'est clairement exprimé.

Jamais, au cours des précédentes Républiques – notamment la IIIe et la IVe –, le pouvoir politique n'a été autant légitimé par le suffrage universel direct. Jamais donc le « pays légal » n'a autant coïncidé avec le « pays réel ».

Si bien que cette pratique politique – usage du référendum, élection du président de la République au suffrage universel direct après la modification constitutionnelle de 1962 – a créé une profonde rupture avec la IVe République, qui avait prorogé toutes les dérives et les impuissances de la IIIe.

La Ve République est bien un régime radicalement nouveau, né de la réflexion du général de Gaulle amorcée avant 1940.

C'est un régime rigoureusement démocratique, même si les conditions de son instauration, on l'a vu, sont exceptionnelles.

Ceux qui, comme Mitterrand, ont ressassé que ce régime était celui du « coup d'État permanent » et que de Gaulle n'était qu'une sorte de Franco, un dictateur, ont été – quel qu'ait été l'écho de leurs propos dans certains milieux, notamment la presse et le monde des politiciens – démentis par les faits, le résultat des scrutins venant souvent contredire les éclats de voix et de plume des commentateurs, voire l'ampleur des manifestations de rue.

Lorsque, en avril 1969, de Gaulle propose par voie de référendum une réforme portant sur l'organisation des pouvoirs régionaux, il avertit solennellement le pays :

« Votre réponse va engager le destin de la France, parce que si je suis désavoué par une majorité d'entre vous […], ma tâche actuelle de chef de l'État deviendra évidemment impossible et je cesserai aussitôt d'exercer mes fonctions. »

Ce que les opposants du général de Gaulle qualifient de stratégie du « Moi ou le chaos » n'est que la volonté de placer le débat en toute clarté, à son plus haut niveau de responsabilités.

Battu par 53,18 % des voix au référendum du 27 avril 1969, de Gaulle quitte immédiatement ses fonctions.

Cette leçon de morale politique est l'un des legs de ces dix années gaulliennes.

Elle exprime une conception vertueuse de la politique, tranchant sur celles des politiciens opportunistes qui ont peuplé les palais gouvernementaux avant et après de Gaulle.

Elle reste inscrite dans l'âme de la France. De Gaulle lui doit beaucoup de son aura, de son autorité et du respect qu'il inspire encore.

Pour cela, il est l'une des références majeures de l'histoire nationale.

On en oublie même que sa présidence a d'abord été tout entière dominée par la tragédie algérienne, qui ne trouve sa fin, dans la douleur, l'amertume, la colère, parfois la honte, le remords et le sang, qu'en 1962.

De Gaulle ne peut déployer son projet pour la France qu'après avoir arraché le pays au guêpier algérien. Mais il a consacré à cette tâche plus de quatre années, et il ne lui en reste que cinq – de 1963 à 1968 – pour ouvrir et conduire des chantiers vitaux pour la nation, avant les manifestations de mai 1968.

Ces dernières le conduisent à s'assurer en 1969 que le « pays réel » lui accorde toujours sa confiance.

Au vu de la réponse, il se retire.

D'ailleurs, dès 1958, et tout au long des étapes qui marquent sa politique algérienne, de Gaulle a procédé, de même, à des « vérifications » électorales par consultation des députés ou le plus souvent par référendum.

Il fait ainsi légitimer – par le peuple directement, indirectement par les élus – les initiatives qu'il prend.

En septembre 1959, les députés approuvent sa politique d'autodétermination par 441 voix contre 23.

« Le sort des Algériens, dit-il, appartient aux Algériens non point comme le leur imposerait le couteau et la mitraillette, mais suivant la volonté qu'ils exprimeront par le suffrage universel. »

Ce qui suscite une émeute à Alger chez les partisans de l'Algérie française : cette « journée des barricades » (24 janvier 1960) provoque la mort de 14 gendarmes auxquels les parachutistes n'ont pas apporté le soutien prévu.

Ainsi se dessine un péril qu'aucune République française n'a jamais réellement affronté : celui d'un coup d'État militaire, bien plus grave que la tentative personnelle d'un général cherchant l'appui de l'armée.

Quand, le 14 novembre 1960, de Gaulle déclare : « L'Algérie algérienne existera un jour », il fait approuver ce « saut » vers l'indépendance algérienne par voie de référendum.

Il obtient un « oui franc et massif » : 75,26 % des voix.

Mais une Organisation armée secrète (OAS) s'est créée, qui va multiplier les attentats, les assassinats.

Pis : un « putsch des généraux » s'empare du pouvoir à Alger (21 avril 1961). Il vise à renverser le régime.

Cette rébellion, fait unique dans l'histoire des républiques, souligne la profondeur de la crise, le traumatisme qui secoue l'âme de la France.

La nation mesure qu'elle vit un tournant de son histoire, la fin, dans la souffrance, d'une époque impériale – quel sort pour les Français d'Algérie, ce territoire si profondément inséré dans la République, celui dont tous les gouvernements ont assuré qu'il était la France, unie « de Dunkerque à Tamanrasset » ?

De Gaulle condamne le « pouvoir insurrectionnel » établi en Algérie par un *pronunciamiento* militaire ». Il stigmatise ce « quarteron de généraux » en retraite (Salan, Challe, Jouhaud, Zeller) qu'inspirent des « officiers fanatiques ».

Cette tentative, en rupture avec toutes les traditions nationales, va échouer, le pouvoir légitime de De Gaulle recevant l'appui de l'ensemble des soldats du contingent et d'une majorité d'officiers.

Dès lors, en dépit des attentats perpétrés par l'OAS, des manifestations de la population algéroise (la troupe tire sur les pieds-noirs, rue de l'Isly et dans certains quartiers d'Alger, faisant plus de cinquante morts), un accord de cessez-le-feu est conclu à Évian le 18 mars 1962.

Il est approuvé par près de 90 % des Français consultés par référendum le 19 avril.

Fin de la guerre commencée il y a plus de sept années, le 1er novembre 1954.

Mais, pour des centaines de milliers de personnes, ce cessez-le-feu, cette reconnaissance de l'unité du peuple algérien, de sa souveraineté sur le Sahara – dont de Gaulle avait espéré conserver la maîtrise –, est la dernière et la plus douloureuse station d'un calvaire.

Européens d'Oran enlevés, assassinés.

Musulmans tués par des commandos de l'OAS qui veulent créer le chaos.

Dizaines de milliers de « supplétifs » de l'armée française – les harkis – abandonnés, donc livrés aux tueurs, aux tortionnaires.

Horreur partout.

Désespoir des pieds-noirs qui n'ont le choix qu'« entre la valise et le cercueil ».

Seule une minorité de quelques milliers d'Européens restera en Algérie, malgré les menaces et les assassinats perpétrés par les tueurs du FLN en réponse à ceux de l'OAS.

L'été 1962 est ainsi une période sinistre dont les Français de métropole n'ont pas une conscience aiguë.

C'est l'un des traits de l'histoire nationale que de vouloir « oublier » la crise et les drames que l'on vient de vivre.

On est heureux du retour des soldats du contingent, même si près de 30 000 sont morts ou ont disparu.

Qui se soucie des 100 000 harkis assassinés ou des centaines de milliers de victimes algériennes (500 000 ?) ?

On veut aussi oublier les dizaines d'Algériens tués à Paris le 17 octobre 1961 alors qu'ils manifestaient pacifiquement.

On oublie les huit morts du métro Charonne qui protestaient contre l'OAS.

On veut refouler cette période tragique.

Un nouveau Premier ministre, Georges Pompidou, a été nommé dès le 14 avril 1962 en remplacement de Michel Debré.

Une autre séquence politique commence. On veut pouvoir entrer dans le monde de la consommation – télévision, réfrigérateur, machine à laver, voiture – qui rythme le nouveau mode de vie. Les « colonies » appartiennent au passé. La guerre d'Algérie est perçue comme une incongruité, un archaïsme à oublier. On détourne la tête pour ne pas voir les « rapatriés ». Quant aux soldats rentrés d'Algérie, ils se taisent et étouffent leurs souvenirs, leurs remords, rêvant à leur tour d'acheter une voiture, Dauphine ou Deux-Chevaux.

Dans ce contexte, l'attentat perpétré contre de Gaulle au Petit-Clamart, le 22 août 1962, par le colonel Bastien-Thiry – arrêté en septembre, condamné à mort, exécuté après le rejet de sa grâce – révolte, tout comme avaient scandalisé les attentats de l'OAS commis à Paris contre certaines personnalités – et qui avaient blessé de leurs voisins : ainsi une enfant aveuglée lors de l'attentat contre Malraux.

De Gaulle, sorti indemne de la fusillade du Petit-Clamart qui crible de balles sa voiture, va tirer parti de l'événement.

Il décide de soumettre à référendum une révision de la Constitution. Le président de la République sera désormais élu au suffrage universel direct. Toute la classe politique – hormis les gaullistes – s'élève contre ce projet censé conforter le « pouvoir personnel » et qu'on identifie à une procédure plébiscitaire.

Pour de Gaulle, c'est la clé de voûte des institutions républicaines : « L'accord direct entre le peuple et celui qui a la charge de le conduire est devenu, dans les temps modernes, essentiel à la République. »

La presse se déchaîne, à la suite des hommes politiques, faisant campagne contre de Gaulle. Le président du Sénat, Gaston Monnerville, parle de forfaiture. Une motion de censure est votée à l'Assemblée.

Mais 61,75 % des votants répondent oui lors du référendum du 28 octobre 1962. Et, aux élections législatives du 25 novembre, le parti gaulliste frôle la majorité absolue. De Gaulle a remporté une double victoire sur les partis.

La Ve République prend ainsi sa forme définitive.

De Gaulle, en stratège, s'est appuyé sur la tragédie algérienne pour retrouver le pouvoir et lui donner une Constitution conforme à ses vues.

Ayant tranché le nœud gordien algérien, il peut enfin déployer ses projets pour la France.

La nation le suivra-t-elle alors qu'elle aspire à la consommation ?

« Nous vivons, dit de Gaulle, évoquant cette année 1962, un précipité d'histoire. »

De fait, la France est devenue autre.

68

De 1963 à 1968, la France se déploie.

C'est comme si la sève nationale, détournée ou contenue et accumulée depuis plus d'une décennie, jaillissait, maintenant que le verrou « algérien » a sauté, et irriguait le corps entier du pays.

Et de Gaulle, dans tous les domaines, pousse la nation en avant puisque, pour lui, « la France ne peut être la France sans la grandeur ».

Rien, dans la Constitution de la Ve République, ne peut, après 1962, l'entraver. Il bénéficie d'un domaine réservé, la politique étrangère, et n'est pas responsable devant le Parlement, où il dispose d'ailleurs d'une majorité disciplinée.

Les alliés de l'UNR (le parti gaulliste) que sont les héritiers des familles modérée et démocrate-chrétienne – le « centre » et, à partir de 1966-1967, les Républicains indépendants de Valéry Giscard d'Estaing – ne deviendront des partenaires critiques (« Oui... mais ») qu'au moment où le soutien populaire au Général s'effritera.

Car de Gaulle, qui dispose de la liberté d'agir d'un monarque, est un républicain intransigeant qui, s'il conteste le jeu des partis politiques et exige des députés qu'ils approuvent sa politique, n'avance que s'il est assuré de l'approbation populaire.

On l'a vu à chaque étape du règlement de la tragédie algérienne.

On le vérifie après 1963 : non seulement il accepte et suscite le verdict électoral, mais il multiplie les rencontres avec le peuple.

Le Verbe et le Corps du monarque républicain deviennent ainsi des éléments importants du fonctionnement politique.

Les conférences de presse – télévisées, radiodiffusées –, les voyages nombreux dans tous les départements, ce Corps et ce Verbe présents, les contacts lors des « bains de foule », participent de cette recherche d'une communication directe avec le peuple, presque d'une communion.

L'élection présidentielle au suffrage universel direct est une sorte de sacre démocratique et laïque du président.

La première a lieu les 5 et 19 décembre 1965.

Décisive, elle l'est d'abord par le nouveau paysage politique qu'elle met en place.

Aux côtés du candidat du centre, Jean Lecanuet, la gauche présente François Mitterrand, qui a obtenu le soutien des communistes.

Venu de la droite, celui-ci – contrairement à une partie de la gauche, et notamment Pierre Mendès France – a compris que l'élection présidentielle conduisait à la bipolarisation. Il a donc eu le courage politique de commettre la transgression majeure : s'allier aux communistes.

Grâce à la présence de Lecanuet – 15,57 % des voix – qui draine les voix du centre hostile à de Gaulle, considéré comme un nationaliste antieuropéen, Mitterrand réussit, avec 32 % des voix, à mettre de Gaulle en ballottage.

La signification de ce premier tour est claire : les partis politiques et, derrière eux, un nombre important de Français ne jugent plus nécessaire, puisque la crise algérienne est dénouée, la présence au pouvoir de De Gaulle.

Les politiciens ont hâte de retrouver une pratique constitutionnelle qui leur permette de se livrer à leurs jeux, censés exprimer la démocratie parlementaire.

Et le « peuple », plutôt que d'entendre évoquer la grandeur de la France, souhaitait que sa vie quotidienne soit améliorée par une hausse des salaires.

Une longue grève des mineurs – mars 1963 – a montré la profondeur des insatisfactions ouvrières.

C'est que la France change vite, et cette mutation crée des inquiétudes, des déracinements.

Des villes nouvelles sortent de terre. Les premiers hypermarchés ouvrent. Un collège nouveau est inauguré chaque jour. Télévision, radio (Europe n° 1), nouvelles émissions, nouvelles mœurs, nouveaux « news magazines », modifient les manières de penser des couches populaires, mais aussi des nouveaux salariés du « tertiaire », employés et cadres urbanisés.

Ceux qui sont nés pendant la guerre ou lors du baby-boom des années 1946-1950 n'ont pas pour repères la Résistance ou la collaboration, de Gaulle ou Pétain. Quand on les interroge, ils répondent : « Hitler ? Connais pas. »

Les plus jeunes – les adolescents d'une quinzaine d'années en 1963 – sont encore plus « décalés » par rapport à ce que représentent de Gaulle et le gaullisme, ou même la classe politique issue le plus souvent de la Résistance et de la guerre.

Mitterrand était à Vichy, puis dans la Résistance, Giscard d'Estaing a fait la campagne d'Allemagne en 1945, Chaban-Delmas a participé à la libération de Paris comme jeune général délégué de De Gaulle, Messmer a été un héroïque officier de la France libre.

Les jeunes gens qui écoutent l'émission « Salut les copains » sur Europe n° 1, acclament Johnny Hallyday et se retrouvent à plus de cent cinquante mille, place de la Nation, le 22 juin 1963, sont le visage d'une nouvelle France qui se sent séparée de la France officielle.

La guerre d'Algérie qui vient à peine de s'achever lui est aussi étrangère que la Seconde Guerre mondiale. Elle ne cherche pas à les connaître.

Si peu de films ou de livres évoquent la guerre d'Algérie, c'est parce que ce nouveau public s'intéresse davantage à la mode « yé-yé » qu'à l'histoire récente.

Quant aux cadres un peu plus âgés, soucieux de carrière et de gestion, ils lisent *L'Expansion* – qui vient d'être lancé par Jean-Louis Servan-Schreiber, frère de Jean-Jacques, créateur de *L'Express*.

Qui, dans ces nouvelles générations, peut vibrer aux discours de Malraux – inamovible ministre des Affaires culturelles –, qui, en 1964 lors du transfert des cendres de Jean Moulin au Panthéon – comme s'il avait l'intuition du fossé culturel séparant la génération de « Salut les copains » des valeurs patriotiques d'un Jean Moulin et de la différence d'expérience vécue entre les contemporains de Johnny Hallyday et ceux de la Gestapo – déclare : « Aujourd'hui, jeunesse, puisses-tu penser à cet homme comme tu aurais approché tes mains de sa pauvre face informe du dernier jour, de ses lèvres qui n'avaient pas parlé : ce jour-là, elle était le visage de la France ! »

Cette fracture entre les générations, l'élection présidentielle de 1965 la reflète aussi.

De Gaulle a soixante-quinze ans, Mitterrand et Lecanuet insistent sur leur jeunesse (relative) et sur la relève nécessaire. Ils veulent rejeter de Gaulle dans le passé, et Mitterrand cherche à en faire le candidat de la droite. Lui-même sait qu'il doit incarner la gauche et que, dans cette élection, dès lors qu'il met de Gaulle en ballottage, il devient – quelles que soient les péripéties à venir – le futur candidat à la présidence des gauches unies.

Même si, lors de ce second tour de 1965, Mitterrand rassemble tous les antigaullistes, de l'extrême droite collaborationniste aux partisans de l'OAS et de l'Algérie française, en sus, naturellement, des socialistes et des communistes...

De Gaulle dénonce dans cette candidature le retour des partis et des politiciens. C'est, pour lui, « un scrutin historique qui marquera le succès ou le renoncement de la France vis-à-vis d'elle-même »...

Il précise que le candidat à la présidence de la République doit se situer au-dessus des partis : « Je suis pour la France, dit-il. La France, c'est tout à la fois, c'est tous les Français. Ce n'est pas la gauche, la France ! Ce n'est pas la droite, la France ! » Et il ajoute : « Prétendre représenter la France au nom d'une fraction, c'est une erreur nationale impardonnable. »

De Gaulle est élu le 9 décembre 1965 avec 54,5 % des voix.

Pourcentage élevé, mais ce ballottage – lourde déception pour l'homme du 18 juin – indique que les clivages politiques traditionnels ont repris de leur vigueur.

L'âme de la France n'oublie ses divisions qu'au fond de l'abîme.

Elle sacre alors un personnage exceptionnel, mais s'en éloigne dès qu'elle reprend pied.

Cette élection de 1965 donne en principe sept années à de Gaulle pour ancrer la France à la place qui correspond à sa « grandeur ».

Mais ce projet par lui-même suscite des réserves et des sarcasmes.

Et il est vrai qu'il y a un style gaullien dont on se plaît à caricaturer l'emphase. On met en scène un de Gaulle en nouveau Louis XIV entouré de sa cour. On en critique les réalisations, du paquebot *France* à l'avion supersonique Concorde.

On sent que derrière ces réticences s'exprime une autre vision de la France, puissance devenue moyenne, qui doit se fondre dans une Europe politique, renoncer à une diplomatie autonome, être un bon soldat de l'OTAN, ne pas chercher à bâtir une force nucléaire indépendante – la « bombinette », comme l'appellent les humoristes.

Mais ils critiquent, du même point de vue, la volonté de Malraux de réussir dans le domaine de la culture ce que Jules Ferry a réussi pour l'instruction. Et, malgré les sarcasmes, des maisons de la culture surgissent dans les régions, deviennent des centres de création, mais aussi des lieux de contestation politique.

Avec le recul, on mesure que c'est dans cette décennie gaullienne que la France de la fin du XXᵉ siècle s'est dessinée : villes nouvelles, effort dans le domaine de l'enseignement et de la recherche, création d'universités (Nanterre, par exemple), d'instituts universitaires de technologie.

C'est le temps où la France glane des prix Nobel (en médecine : Lwoff, Jacob, Monod ; en physique : Alfred Kastler), et même des médailles olympiques (jeux Olympiques d'hiver à Grenoble en 1968).

Certes, ces résultats sont issus des semailles effectuées pendant le IVᵉ République. Ces transformations participent des Trente Glorieuses qui, sur le plan économique et social, bouleversent en profondeur la nation. Mais, grâce aux impulsions données par l'État, le mouvement est maintenu, accéléré, soutenu.

Le Plan est une « ardente obligation » ; la DATAR veille à l'aménagement du territoire.

Il y a un esprit, un espoir, un effort gaulliens. Ils affirment que la France a la capacité de demeurer l'une des grandes nations.

D'ailleurs, ne devient-elle pas la quatrième puissance économique ?

Elle peut, dans le domaine scientifique, développer une recherche de pointe qui lui permet, en aéronautique ou dans le secteur nucléaire, de maintenir des industries compétitives. L'industrie nucléaire est capitale pour assurer une défense – donc une diplomatie – indépendante, et garantir l'autonomie énergétique au moyen des centrales nucléaires.

Quarante années plus tard, malgré le renoncement de fait aux ambitions gaulliennes pratiqué par les successeurs du Général, les directions choisies par de Gaulle sont encore visibles, même si elles commencent à s'effacer, en ce début du XXIᵉ siècle, et si l'on s'interroge pour savoir s'il convient de les prolonger.

La persistance – la résistance – des choix gaulliens, malgré leur remise en cause, est encore plus nette en politique extérieure.

La cohérence du projet gaullien en ce domaine s'appuie d'abord sur une lecture de l'âme de la France.

« Notre pays, dit de Gaulle, tel qu'il est parmi les autres tels qu'ils sont, doit, sous peine de danger mortel, viser haut et se tenir droit. »

Ce qui se traduit en politique extérieure par l'affirmation de l'indépendance et de la souveraineté.

Cela ne signifie pas le refus des alliances et de la solidarité à l'égard des nations amies. Ainsi, en 1962, de Gaulle a manifesté aux États-Unis de Kennedy, engagés dans une confrontation dangereuse avec l'URSS à propos de missiles installés à Cuba, un soutien sans équivoque.

Il a de même affirmé, par le traité de l'Élysée signé en 1963, sa volonté de bâtir avec l'Allemagne une relation privilégiée et déterminante pour l'avenir de l'Europe.

Il n'envisage pas l'Europe seulement dans le cadre de la Communauté européenne. Il veut une « Europe européenne » « de l'Atlantique à l'Oural », c'est-à-dire qu'il se place au-dessus du « rideau de fer » idéologique, politique et militaire qui sépare une Europe démocratique sous protection et domination américaines d'une Europe colonisée par les Soviétiques.

De Gaulle veut que la France soit à l'initiative du dégel. Pour cela, elle doit ne pas dépendre des États-Unis, et s'il refuse l'entrée du Royaume-Uni dans la

CEE, c'est qu'il estime que Londres est soumis à Washington et son agent en Europe.

Il faut donc que la France brise tout ce qui crée une sujétion à l'égard des États-Unis.

En 1964, premier État occidental à oser le faire, de Gaulle reconnaît la Chine communiste.

La même année, il effectue une tournée en Amérique latine, invitant les nations de ce continent à s'émanciper de la tutelle américaine – « *Marchamos la mano en la mano* », dit-il à Mexico.

En 1966, il renforce la coopération avec Moscou. Mais c'est « la France de toujours qui rencontre la Russie de toujours ». Il visitera la Pologne, et plus tard la Roumanie.

Nation souveraine, la France estime que les idéologies glissent sur les histoires nationales et que celles-ci ne peuvent être effacées.

La nation est plus forte que l'idéologie.

Mais l'acte décisif, qui change la place de la France sur l'échiquier international – et pour long-temps –, est accompli le 7 mars 1966 quand de Gaulle quitte le commandement intégré de l'OTAN, exige le départ des troupes de l'OTAN qui séjournent en France et le démantèlement de leurs bases.

La France vient d'affirmer avec force sa souverai-neté. Elle dispose de l'arme atomique. Elle construit des sous-marins nucléaires lance-engins ; elle est donc indépendante. Elle retrouve, selon de Gaulle, le fil de la grande histoire.

Preuve de son autonomie diplomatique au-dessus des blocs : il se rend à Phnom-Penh, et, dans un grand discours, invite les États-Unis à mettre fin à leur intervention militaire au Viêt Nam.

Ces prises de position scandalisent : les uns hurlent de colère, les autres ricanent, affirment que la France n'a qu'une diplomatie de la parole et du simulacre.

Les centristes (Jean Lecanuet) et les indépendants critiquent cette politique extérieure qui fait naviguer la France entre les deux icebergs de la guerre froide. Ces formations politiques s'apprêtent à assortir leur soutien à de Gaulle de profondes réserves. Ce sera, en 1967, le « Oui… mais » de Giscard d'Estaing, qui ainsi prend déjà date pour l'après-de Gaulle.

La gauche et l'extrême gauche, où l'antiaméricanisme est répandu et où l'on crée des comités Viêt Nam, n'appuient pas pour autant de Gaulle, à la fois pour des raisons politiciennes – il est « la droite » – et parce que l'idée de nation souveraine leur est étrangère.

En outre, en se rassemblant et en élaborant un programme – Mendès France et Michel Rocard en discutent lors de divers colloques, notamment à Grenoble en 1966 –, la gauche devient attirante, « moderne ».

La base électorale du gaullisme se réduit d'autant. Les élections législatives de 1967 confirment à la fois le succès de la gauche et l'érosion du parti gaulliste, de plus en plus dépendant de ses alliés du centre et de la droite traditionnelle, qui sont, eux, de plus en plus réticents.

Les propos que tient de Gaulle à Montréal, le 24 juillet 1967, saluant d'un « Vive le Québec libre ! » la foule qui l'acclame, scandalisent un peu plus. De Gaulle perdrait-il la raison ?

Ceux du 27 novembre 1967, lors d'une conférence de presse consacrée au Moyen-Orient, et qui qualifient le peuple juif de « peuple d'élite, sûr de lui-même et dominateur », le mettant en garde contre les actions de guerre et de conquête qui l'entraîneraient dans une confrontation sans fin avec les États voisins, suscitent indignation, condamnation, incompréhension.

Certains évoquent le vieil antisémitisme maurrassien. Mais l'excès même de ces accusations inexactes portées contre de Gaulle montre que celui-ci ne fait plus l'unanimité, pis : qu'il n'est même plus respecté, qu'il exaspère, que de larges secteurs du pays, en cette fin d'année 1967, ne le comprennent plus. Et que, pour d'autres, il appartient à un monde révolu.

Il aura soixante-dix-huit ans en cette année 1968 qui commence.

À Caen, de jeunes ouvriers en grève affrontent violemment les forces de l'ordre le 26 janvier.

À Paris, des étudiants, membres du Comité Viêt Nam national, brisent les vitres de l'American Express ; certains sont arrêtés. Et le 22 mars, à Nanterre, la salle du conseil de l'université est occupée.

Un étudiant franco-allemand, Cohn-Bendit, crée le Mouvement du 22 mars. La « nouvelle France », celle des jeunes qui ont autour de vingt ans, apparaît sur le terrain politique et social ; elle annonce une nouvelle séquence historique. Cette génération s'interroge sur le sens d'une société dont elle ne partage pas les valeurs officielles.

L'un de ces nouveaux jeunes acteurs de la vie intellectuelle et sociale, Raoul Vaneigem, qui se définit comme *situationniste*, écrit en ce mois de mars 1968 : « Nous ne voulons pas d'un monde où la garantie de ne pas mourir de faim s'échange contre celle de mourir d'ennui. »

Le flux inéluctable des générations entraîne et modifie l'âme de la France.

69

Mai 1968-juin 1969 : c'est l'année paradoxale de la France.

En mai 1968, le pays est en « révolution ». Le gouvernement semble impuissant. Pierre Mendès France et François Mitterrand se disent prêts à prendre un pouvoir qui paraît à la dérive.

Un mois plus tard, le 30 juin, la France élit dans le calme l'Assemblée nationale la plus à droite depuis 1945. Rejetés en mai, les gaullistes y détiennent la majorité absolue pour la première fois depuis le début de la Ve République.

Mais, le 28 avril 1969, au référendum proposé par de Gaulle, le non l'emporte avec 53,18 % des voix. Conformément aux engagements qu'il a pris, de Gaulle « cesse d'exercer ses fonctions ».

Un mois et demi plus tard, le 15 juin 1969, l'ancien Premier ministre du général de Gaulle, Georges Pompidou, est élu président de la République avec 57,8 % des suffrages exprimés !

Cette année jalonnée de surprises et de paradoxes est un condensé d'histoire nationale, une mise à nu et une mise à jour de l'âme de la France.

Le spectacle commence dans la nuit du 10 au 11 mai 1968, quand le Quartier latin, à Paris, se couvre de barricades pour protester contre l'arrestation d'étudiants, l'occupation et la fermeture de la Sorbonne par la police qui les en a délogés.

C'est comme si les étudiants, dépavant les rues, rejouaient les journées révolutionnaires, retrouvant les gestes des insurgés du XIXe siècle, ceux de 1830 ou de 1832, de 1848 ou de 1871, mais aussi ceux des combats de la Libération, en août 1944.

C'est un théâtre de rue : pavés, arbres sciés, voitures incendiées, charges des CRS accueillies aux cris de « CRS, SS », effet de la mémoire détournée qui devient mensongère.

Dans ces affrontements, en brandissant le drapeau rouge, on joue aussi des épisodes de la lutte des classes mondiale : on invoque Marx, Lénine, Trotsky, Mao, Che Guevara, le Viêt-cong, et on dénonce l'impérialisme américain.

En cette première quinzaine de mai 1968, Paris marie la tradition nationale et l'idéologie gauchiste qui se réclame du marxisme, du trotskisme, du castrisme et du maoïsme.

En fait, comme en de nombreux autres pays (États-Unis, Allemagne, Italie, Japon, par exemple), la jeunesse issue du baby-boom d'après guerre entre en scène.

En France – particularité de l'âme de la nation –, elle interprète un simulacre de révolution.

La genèse en a été la protestation de quelques étudiants organisés dans des mouvements minoritaires, celui du 22 mars ou ceux relevant de la mouvance trotskiste.

Ils sont le détonateur qui embrase la jeunesse, les « copains » qui, depuis les années 1960, investissent peu à peu l'espace social et culturel. Cette génération entre dans le théâtre politique français, où le décor, les textes, la mémoire et les postures sont révolutionnaires.

Surpris – le Premier ministre, Pompidou, et le président de la République sont en voyage officiel à l'étranger –, le pouvoir politique s'interroge.

Il contrôle remarquablement la répression : grâce au préfet de police Grimaud, la nuit des barricades sera certes violente, avec de nombreux blessés, mais restera un simulacre de révolution.

Exception française : la « révolution » étudiante déclenche une crise sociale et politique.

La France est bien ce pays d'exception, centralisé, où la symbolique historique joue un rôle majeur et où ce qui se passe sur la scène parisienne prend la profondeur de champ d'un événement historique.

Longtemps contenues, les revendications ouvrières explosent face à un régime affaibli. Les grèves éclatent, mobilisent bientôt plus de dix millions de grévistes – un sommet historique.

Au gouvernement, certains craignent une « subversion communiste », puisque la CGT est liée au Parti communiste.

Et ce n'est plus seulement Paris qui est concerné. Toute la nation est paralysée.

Les villes de province sont parcourues par des cortèges à l'ampleur exceptionnelle.

Les amphithéâtres de toutes les universités, les théâtres – à Paris, celui de l'Odéon –, les écoles – celle des Beaux-Arts –, les rues, les places, deviennent des lieux de débat. Des assemblées tumultueuses écoutent des anonymes, des militants, des écrivains célèbres (Sartre, Aragon). On applaudit, on conteste.

C'est la « prise de parole », le rejet des institutions. Les communistes sont débordés par les gauchistes, les maoïstes, les trotskistes.

Et l'on crie : « Adieu, de Gaulle, Adieu ! » ou encore : « Dix ans, ça suffit ! »

Ainsi, à la fin du mois de mai, la « révolution » étudiante est devenue radicalement politique.

C'est comme un condensé d'histoire. Les multiples réunions font penser par leur nombre, les participations massives, la diversité des problèmes soulevés par une foule d'intervenants, aux assemblées préparatoires aux états généraux élaborant leurs cahiers de doléances. Déjà on semble à la veille d'un 14 juillet 1789.

Dans les cortèges, certains souhaitent qu'on prenne une Bastille qui ferait tomber le pouvoir du vieux monarque. On lance : « De Gaulle au musée ! »

Tout se joue dans les quatre derniers jours de mai.

D'abord, Pompidou réunit les syndicats. Il aboutit le 27 mai aux accords de Grenelle avec la CGT. Il retire ainsi du mordant au mouvement social et stoppe sa propagation.

En outre, l'indication politique est précieuse : les communistes ne veulent pas – lucidité ou calcul lié à la politique extérieure de De Gaulle ? – d'un affrontement, aux marges de la légalité, avec le pouvoir.

Dès lors, l'acte de candidature de François Mitterrand et de Pierre Mendès France – alliés et concurrents –, se déclarant le 27 mai prêts à gouverner alors que le pouvoir n'est pas vacant, apparaît comme le choix de pousser le pays dans l'« aventure ».

Celui-ci ne le désire pas.

Il suffit d'un appel radiodiffusé du Général, le 30 mai, pour renverser la situation.

De Gaulle s'est rendu la veille auprès du général Massu, commandant les forces françaises en Allemagne, stratagème créant l'angoisse et l'attente, habile dramatisation bien plus que démarche d'un président ébranlé cherchant l'appui de l'armée. À la radio, il annonce la dissolution de l'Assemblée et des élections législatives.

La volonté du pays de mettre fin à la « révolution » s'exprime aussitôt : manifestation d'un million de personnes sur les Champs-Élysées, le 30 mai ; aux élections des 23 et 30 juin, triomphe des gaullistes de l'UDR (gain de 93 sièges) des indépendants (gain de 10 sièges), et échec communiste (perte de 39 sièges) et des gauches de la FGDS (perte de 64 sièges).

Derrière le simulacre de révolution à quoi s'était complue l'âme de la France se manifeste l'aspiration à la paix civile et au respect des procédures constitutionnelles.

L'âme de la France apparaît ainsi ouverte au débat, mais seule une minorité infime désire réellement la révolution. Son discours et ses postures ne suscitent pas de prime abord le rejet : on les entend, on les regarde, on les approuve, on les suit même comme s'il s'agissait de revivre – de rejouer – des scènes de l'histoire nationale auxquelles on est affectivement – et même idéologiquement – attaché. Tout ce simulacre fait partie de l'âme de la France. Mais on ne veut pas se laisser entraîner à brûler le théâtre parce que, sur la scène, quelques acteurs, qu'on peut applaudir, dressent des barricades et déclament des tirades incendiaires.

D'ailleurs, ces acteurs eux-mêmes – trotskistes, maoïstes, gauchistes de toutes observances – se refusent à mettre le feu à la France.

Les plus engagés d'entre eux – maoïstes regroupés dans la Gauche prolétarienne – n'auront jamais versé – à l'exception de quelques rares individualités – dans la « lutte armée », comme cela se produira en Allemagne et surtout en Italie.

Comme si, dans la culture politique nationale, cette séquence de l'« action directe » de petits groupes prêts à l'attentat et à l'assassinat ne trouvait pas d'écho favorable, mais une condamnation ferme.

Comme si l'action politique « de masse », accompagnée de controverses idéologiques ouvertes plutôt que d'une culture de secte, l'emportait toujours.

Comme si les « militants révolutionnaires » avaient la conviction que le « peuple français », celui de 1789, de 1830, de 1848, de 1871, de 1944, pouvait les écouter, les comprendre et les suivre. Comme si, finalement, l'action armée, groupusculaire, terroriste, était la marque de nations qui n'avaient pas connu « la » Révolution, mais dont les peuples, au contraire, s'étaient laissé enrégimenter par la « réaction », le fascisme, le nazisme... et le stalinisme.

Le refus du gauchisme de passer à la lutte armée est ainsi le résultat moins d'une impossibilité « technique » (petit nombre de militants décidés à agir) que du poids d'une histoire nationale dans laquelle la société – le peuple – a joué le rôle déterminant à toutes les époques, de la monarchie à la république.

Et, en effet, c'est par la société et en son sein que les « révolutionnaires » de Mai 68 l'emportent.

Ils s'y insèrent, y conquièrent des postes d'influence dans ces nouveaux pouvoirs que sont les médias.

Ils constituent une « génération » solidaire qui transforme le simulacre de révolution en vraie mythologie révolutionnaire.

Ils exaltent les épisodes estudiantins – les barricades à résonance historique – et effacent des mémoires la plus puissante grève ouvrière qu'ait connue la France.

Une reconstruction idéologique de Mai 68 est ainsi réalisée par les acteurs eux-mêmes, avec l'assentiment de tous les pouvoirs.

Cette révolution de Mai est aussi une déconstruction de l'ordre républicain et de ses valeurs, points d'appui des mouvements sociaux. La République, c'était l'exception française, manière de s'opposer à la « normalisation économique ».

La révolution de Mai, au contraire, est en phase avec la nouvelle culture qui envahit le monde à partir des années 1960. Elle est permissive sur le plan des mœurs (culture gay et lesbienne, avortement, usage du cannabis, etc.), féministe et antiraciste.

Elle refuse les hiérarchies, les structures jugées autoritaires. Elle valorise et exalte l'individu, l'enfant. Elle provoque un changement des méthodes d'enseignement.

Cette révolution culturelle, portée par la diffusion des médias audiovisuels, condamne l'idée de nation. Elle la soupçonne de perpétuer une vision archaïque, autoritaire, hostile à la jouissance, à la consommation libertaire adaptée à l'économie de marché.

L'héroïsme national, l'idée de grandeur, l'idée même de France – et de son rôle exceptionnel dans l'histoire –, sont refoulés.

L'âme de la France se trouve ainsi déformée, amputée.

Dans ce climat, de Gaulle et les valeurs qu'il représente sont condamnés.

« Adieu de Gaulle, adieu », « De Gaulle au musée » : ces slogans des manifestants rendent compte en négatif des aspirations des nouvelles générations.

Le nouveau Premier ministre (Maurice Couve de Murville a remplacé Georges Pompidou, qui a efficacement fait face aux événements de Mai, mais qui apparaît comme un candidat possible à la présidence de la République) incarne plus caricaturalement que de Gaulle les valeurs de cette histoire française que la révolution de Mai a dévalorisées.

De Gaulle est parfaitement conscient du changement intervenu, du « désir général de participer... Tout le monde en veut plus et tout le monde veut s'en mêler. » Mais le référendum qu'il propose le 28 avril 1969, visant à modifier le rôle et la composition du Sénat et à changer l'organisation des collectivités territoriales, ne peut répondre à l'attente qui traverse la société.

En somme, de Gaulle est devenu le vivant symbole du passé.

Sa place est en effet, au musée, dans l'histoire révolue.

Et l'on voit déjà se profiler derrière lui un homme d'État moderne : Georges Pompidou. L'ancien Premier ministre, s'est contenté, pendant la guerre, d'enseigner. Il a « vécu », a été banquier chez Rothschild. Il aime l'art contemporain, est photographié avec un pull noué sur les épaules. Des rumeurs tentent de le compromettre avec le monde de la nuit et de la débauche. Il s'agit d'une tentative visant à l'abattre. Mais peut-être qu'au contraire cette calomnie a plaidé en sa faveur.

Ce n'est plus un héros quasi mythologique que la France désire. Elle veut un homme non pas quelconque, mais plus proche.

Le non l'emporte au référendum du 28 avril 1969.

« Je cesse d'exercer mes fonctions de président de la République. Cette décision prend effet aujourd'hui à midi », communique de Gaulle à 0h10, le 29 avril.

Georges Pompidou est élu président de la République le 15 juin 1969 avec 57,8 % des suffrages exprimés, contre 42,25 % à Alain Poher, modéré, président du Sénat.

Au premier tour, les candidats de la gauche socialiste (Defferre, Rocard) obtiennent respectivement 5,1 et 3,61 % des voix).

Mitterrand, prudent et lucide, n'a pas été candidat.

Le communiste Duclos a rassemblé 21,5 % des voix.

Le trotskiste Krivine, 1,05 %.

Tel est le visage électoral de la France un an après la « révolution » de Mai.

La gauche n'est pas présente au second tour du scrutin, alors qu'en 1965 Mitterrand avait mis de Gaulle en ballottage.

Pourtant, malgré la victoire de Georges Pompidou, la République gaullienne est morte.

De Gaulle n'y survivra pas longtemps.

Il meurt le 9 novembre 1970.

Refusant tous les hommages officiels, il avait souhaité être enterré sans apparat à Colombey-les-Deux-Églises.

Il avait écrit, dédicaçant un tome de ses *Mémoires* à l'ambassadeur de France en Irlande, quelques semaines après son départ du pouvoir, une pensée de Nietzsche :

Rien ne vaut rien
Il ne se passe rien
Et cependant tout arrive
Et c'est indifférent.

5

LA FRANCE INCERTAINE

1969-2007

70

En 1969, comme si souvent au cours de son histoire, la France entre dans le temps des incertitudes.

Elle avait choisi durant une décennie de s'en remettre au « héros » qui, une première fois, l'avait arrachée aux traîtres, aux médiocres et aux petits arrangements d'une « étrange défaite ».

Respectant le contrat implicite que le pays avait passé avec lui, de Gaulle avait mis fin à la tragédie algérienne.

La France pouvait donc – le moment, l'occasion, les modalités, seraient affaire de circonstances – renvoyer le héros au « musée » de ses souvenirs.

De Gaulle parti, la France est incertaine.

Les successeurs – Georges Pompidou (1969-1974), Valéry Giscard d'Estaing (1974-1981), François Mitterrand (1981-1995), Jacques Chirac (1995-2007) – ne sont, chacun avec son rapport singulier à la France, au monde, à la vie, que des hommes politiques.

Ils ne gravissent plus les pentes de l'Olympe, mais les modestes sommets d'une gloire politicienne, même si l'avant-dernier, qu'animait une jalousie rancie à l'égard de De Gaulle, rencontré pour la première fois en 1943, a tenté – on a l'Olympe qu'on peut – de construire sa mythologie en conviant ses courtisans et les caméras à l'ascension, devenue rituelle, de la roche de Solutré, son site préhistorique.

Mais, derrière la succession apaisée des présidents de la République, dont aucune crise de régime ne vient interrompre un mandat que seule la maladie peut écourter (mort de Pompidou en 1974), les enjeux sont majeurs pour la nation.

Le projet du « héros » était clair, simple mais exigeant : indépendance, souveraineté, fidélité à l'âme de la France, et donc grandeur.

L'exception française devait être maintenue à la fois dans l'organisation économique, sociale et politique – un État fort animant et canalisant la vie économique, instituant la « participation » – et dans les relations internationales : la France n'est d'aucun bloc, elle reconnaît les nations comme des entités souveraines, libres de vivre à l'intérieur de leurs frontières comme elles l'entendent. Ni droit ni devoir d'ingérence.

La révolution culturelle de Mai – réplique de la domination mondiale des images de la société américaine, elle-même modelée par son histoire, son mode d'organisation économique – a contesté le projet gaullien.

Mais le « nouveau modèle culturel » a-t-il réellement pénétré, et jusqu'à quelles profondeurs, la société française ? A-t-il vaincu, balayé tous les aspects du projet gaullien ?

Entre le nouveau et l'ancien, quelle combinaison, quel équilibre peut-on réaliser ? Et comment les présidents successifs – et les forces politiques qui les soutiennent – vont-ils se situer par rapport à cette question majeure ?

Vont-ils s'appuyer sur les aspirations nouvelles, les reconnaître, et, à partir d'elles, « modifier l'âme de la France », ou tenter au contraire de les contenir, de les refouler, ou encore, pragmatiquement, en fonction de leurs intérêts électoraux, tenter de concilier l'ancien et le nouveau ?

Il s'agit en somme de savoir qui va assumer, et comment, l'héritage de la « révolution » de Mai 68. Quelle part on en retiendra, ce qu'on refusera, et vers quelles formations politiques se porteront les acteurs de Mai.

À l'évidence, ils ont inquiété les électeurs de juin 1968, qui ont élu une majorité absolue de députés gaullistes, et ceux de juin 1969, qui ont choisi Georges Pompidou et écarté la gauche et l'extrême gauche.

Pompidou, qui par ailleurs bénéficie d'une conjoncture économique favorable, dispose d'une large assise électorale exprimant la réaction du pays devant le risque « révolutionnaire » et son attachement conservateur au modèle ancien.

Cependant, la société est travaillée par l'« esprit de Mai ».

Au fil des années, tout au long de la présidence de Georges Pompidou (1969-1974), il se manifeste souvent. Les gauchistes sont présents.

La tentation de créer un « parti armé » est réelle, même si – nous l'avons noté – elle ne se réalisera pas. La mort d'un militant – Pierre Overney, en 1972 – et ses obsèques sont symboliquement la dernière grande manifestation gauchiste à traverser les quartiers de l'Est parisien, traditionnellement « révolutionnaires ».

Il y a l'émergence du Mouvement de libération des femmes (MLF) ; la déclaration, en 1971, de 343 femmes reconnaissant avoir eu recours à l'avortement.

Tel ou tel fait divers (le suicide d'un professeur, Gabrielle Russier, qui a pour amant un élève mineur de dix-huit ans, et Pompidou saura, citant Paul Éluard, trouver les mots de la compassion vis-à-vis de « la malheureuse qui resta sur le pavé... »), illustre les tensions, les conflits entre les nouvelles aspirations et la loi.

C'est un travail de déconstruction qui se poursuit.

Il modifie le regard qu'on porte sur deux périodes clés de l'histoire nationale, fondatrices de l'héroïsme national et de sa mythologie.

D'abord, la Révolution française, qu'un historien comme François Furet commence à repenser à la lumière de ce qu'on a appris du régime soviétique. Ce n'est plus de la liberté qu'on crédite la Révolution, mais du totalitarisme. Robespierre est l'ancêtre de Lénine et de Staline, et ceux-ci sont les créateurs de *l'archipel du goulag* (les trois volumes de Soljenitsyne sont publiés en russe à Paris en décembre 1973, en français en 1974-1975).

L'autre révision porte sur la France de Vichy (titre d'un livre de l'historien américain Robert Paxton). Sur la geste gaulliste qui affirme que Vichy « est nul et non avenu » et que la nation a le visage de la Résistance et de la France libre – sorte de tapisserie où ne figurent que des héros – vient se superposer une France ambiguë, celle que révèle aussi le film de Max Ophüls, *Le Chagrin et la pitié*.

Au mythe héroïque et patriotique déconstruit succède le mythe d'une lâcheté nationale, d'un attentisme généralisé, voire d'un double jeu – où se reconnaissent un Georges Pompidou, un François Mitterrand – aux antipodes des choix radicaux et clairs pris par certains (de Gaulle, Messmer) dès juin 1940.

Ces révisions de l'histoire nationale participent de l'esprit de Mai.

En choisissant comme Premier ministre Jacques Chaban-Delmas – général gaulliste –, Pompidou, en juin 1969, cherche l'équilibre entre l'ancien et le nouveau, puisque Chaban, lorsqu'il présente son programme à l'Assemblée, déclare : « Il dépend de nous de bâtir patiemment et progressivement une nouvelle société. »

Ce projet de « nouvelle société » a été élaboré par Simon Nora – proche de Mendès France – et Jacques Delors, syndicaliste chrétien.

La « nouvelle société » devient l'idée force et la formule emblématique recouvrant toutes les initiatives du gouvernement Chaban-Delmas.

Par ses attitudes, l'homme veut d'ailleurs incarner un « nouveau » type de personnalité politique. Il est « moderne », svelte, sportif, séducteur, souriant.

Cette apparence peut être à soi seule un manifeste politique.

Il y a d'ailleurs une ressemblance d'allure entre Chaban, Valéry Giscard d'Estaing – ministre de l'Économie et des Finances – et Jean-Jacques Servan-Schreiber, directeur de *l'Express*, désormais président du Parti radical, auteur du programme radical *Ciel et Terre*. À travers eux s'affirme un parallélisme des volontés réformatrices.

Les mots *réforme*, *réformateur*, peuplent les discours politiques. Ils justifient les mesures prises par le gouvernement.

Les plus commentées concernent la justice, la radio et la télévision publiques (ORTF), qui se voient garantir l'indépendance. L'effet est réel à la télévision où, pour la première fois, certains magazines – « Cinq colonnes à la une » – reflètent la réalité avec ses conflits et ses tensions.

Mais, pour Pompidou comme pour sa majorité, ce style Chaban, ces mesures, sont autant de concessions à la « gauche », qui fragilisent la majorité.

La situation économique se dégrade sous l'effet des mesures monétaires prises par les États-Unis de Richard Nixon (fin de la convertibilité entre le dollar et l'or, chute du dollar, hausse des cours du pétrole : en 1973, le prix du baril est multiplié par quatre). Les conflits sociaux s'aggravent. La gauche progresse, et aux élections de 1973, en pourcentage de votants, elle dépasse même la majorité (42,99 % pour cette dernière, 43,23 % pour la gauche).

Pompidou avait anticipé ce recul, tentant, par le renvoi de Chaban et son remplacement par Pierre Messmer, en juillet 1972, de rassembler sa majorité sur les « valeurs traditionnelles » du modèle ancien.

Ce redressement paraît d'autant plus nécessaire que François Mitterrand – en 1971, au congrès d'Épinay – a pris la tête d'un nouveau Parti socialiste. Celui-ci a signé en 1972 avec le PCF et le Mouvement des radicaux de gauche (MRG) un Programme commun de gouvernement. La gauche a donc resurgi rapidement des décombres de 1969. Et il apparaît, au vu des résultats électoraux de 1973, qu'elle fait jeu égal avec la droite.

C'est ainsi qu'à la mort de Pompidou – 2 avril 1974 –, face à la candidature de Valéry Giscard d'Estaing, représentant des modérés libéraux, les gaullistes se divisent. Chaban-Delmas est candidat, mais une partie des gaullistes, derrière Jacques Chirac, apportent leur soutien à Giscard.

Celui-ci l'emporte sur François Mitterrand, candidat unique de la gauche (49,2 % des voix contre 50,8 %, soit une différence de 425 599 voix).

Le faible écart qui sépare les deux candidats est signe de l'incertitude française.

La gauche est portée par le désir d'alternance, les premières conséquences sociales du choc pétrolier de 1973, le recours à une histoire mythifiée : le Front populaire, l'unité d'action.

Maints acteurs de Mai ont adhéré au PS après le congrès d'Épinay, comme de nombreux militants du syndicalisme chrétien. De nouvelles générations peuplent ainsi la gauche et lui donnent un nouveau dynamisme, renforcé par le fait que le PCF perd de son hégémonie culturelle et politique. Il se dégrade en même temps que l'image de l'URSS.

L'« esprit de Mai » reverdit le vieil arbre socialiste, et, dès le lendemain de la défaite du 19 mai 1974 face à Giscard, chacun, à gauche, estime que la victoire était – sera bientôt – à portée de main.

Pourtant, Giscard d'Estaing est le président le plus décidé à « moderniser » la société française.

Jeune (quarante-huit ans en 1974), il déclare au lendemain de son élection : « De ce jour date une ère nouvelle de la politique française. » Il a choisi Jacques Chirac comme Premier ministre, mais c'est pour neutraliser le parti gaulliste. Son gouvernement comporte des réformateurs (Jean-Jacques Servan-Schreiber, Françoise Giroud), des personnalités indépendantes (Simone Veil).

Mais, surtout, cet homme d'expérience (ministre de l'Économie et des Finances de 1959 à 1966, puis de 1969 à 1974) qui a contribué à la chute de De Gaulle en appelant à voter non au référendum de 1969 a un véritable projet pour la France.

Et il est l'antithèse du projet gaullien.

Il s'agit d'abord de réaliser que la France n'est qu'une puissance moyenne (1 à 2 % de la population mondiale, insiste-t-il). Elle doit abandonner ses rêves de grandeur, se contenter d'être l'ingénieur de la construction européenne, qui est son grand dessein et sa chance.

Giscard est, pour l'Europe, le maître d'œuvre de réformes décisives (élection au suffrage universel du Parlement européen, création du Système monétaire européen, renforcement des liens avec l'Allemagne).

Il est à l'initiative des rencontres des Grands, le G5, pour discuter des affaires du monde.

Il croit à la possibilité de la détente internationale comme à la fin de la « guerre civile froide » que se livrent les forces politiques françaises. Il est partisan de la « décrispation », d'une « démocratie française apaisée », de la possibilité de gouverner au centre, en accord avec le groupe central – les classes moyennes –, et, il l'annonce dès 1980, il acceptera une « cohabitation » avec une majorité législative hostile, et la laissera gouverner.

C'est une négation de l'esprit des institutions tel que de Gaulle l'avait mis en œuvre : à chaque élection, il remettait son mandat en question.

En fait, Giscard exprime la « tradition orléaniste » française, qui accepte une partie de l'héritage révolutionnaire et veut oublier que « l'histoire est tragique », ou à tout le moins qu'elle n'est pas seulement le produit et le reflet de la Raison.

Giscard met ce projet en scène.

Le président est un homme accessible. Il remonte à pied les Champs-Élysées. Il s'invite à dîner chez des Français. Il visite les prisons.

C'est un souverain, mais proche, ouvert. Il joue de l'accordéon et au football.

La « communication » commence à balayer comme un grand vent les traditions compassées de la vie politique.

Il s'agit de changer les mœurs, de prendre en compte l'esprit de Mai.

Majorité et droit de vote à dix-huit ans, loi sur l'interruption volontaire de grossesse, création d'un secrétariat d'État à la Condition féminine et réforme de l'ORTF sont la traduction institutionnelle des revendications *sociétales* apparues en 1968. De même, la multiplication des débats où le président rencontre des lycéens ou des économistes veut montrer que le pouvoir est favorable à la « prise de parole », au dialogue avec les citoyens.

Cependant, ce projet récupérateur, moderne, souvent anticipateur, ne va pas permettre la réélection de Giscard en mai 1981.

D'abord parce que la crise de 1973 fait sentir ses effets : le chômage devient une réalité.

Ensuite, les « gaullistes » s'opposent aux « giscardiens » à partir de 1976, de la démission de Chirac du poste de Premier ministre, puis de son élection – contre un giscardien – à la mairie de Paris. Ils signifient qu'ils sont dans l'« opposition ».

Cette défection est révélatrice.

Les gaullistes – leurs électeurs – sont heurtés par la « déconstruction » active, proclamée, exaltée, du « système français ».

Le patriotisme français – ravivé par de Gaulle – s'irrite de cette volonté giscardienne de gommer les spécificités françaises, de nier l'exception et la grandeur nationales.

On est choqué qu'il ait choisi de s'exprimer en anglais lors de sa première conférence de presse.

L'histoire nationale résiste, l'âme de la France se cabre. Quant à la rigueur du nouveau Premier ministre, Raymond Barre, elle heurte. Ni l'opinion ni les forces politiques ne sont prêtes à entendre le professeur Barre, « meilleur économiste de France », énoncer des vérités déplaisantes sur la réalité sociale et économique du pays. D'une certaine manière, la « modernisation » giscardienne devance l'évolution du pays.

François Mitterrand, au contraire, veille à rassembler à la fois les « modernisateurs » – ainsi, en matière d'information, il est partisan des « radios libres », ou bien il prend explicitement position contre la peine de mort – et les « conservateurs » de la gauche.

Ces derniers, d'ailleurs, souhaitent l'alternance politique à n'importe quel prix.

Mitterrand sait leur parler non de « groupe central », ou de la fin de « la guerre civile froide franco-française ». Il évoque le Front populaire (lui-même porte un grand chapeau à la Blum !), la lutte des classes, le sort d'Allende – le président chilien renversé et mort après un coup d'État militaire soutenu par les États-Unis le 11 septembre 1973.

Les communistes, qui ont rompu avec lui sur le Programme commun en 1977 – ce qui a permis la victoire des giscardiens aux législatives de 1978 –, sont contraints de se rallier à lui au second tour.

Tous les Français – y compris les gaullistes – qu'inquiète la « modernisation » de la France, laquelle n'est à leurs yeux qu'une américanisation, se retrouvent dans l'idée d'une « force tranquille » qui protège, sur les affiches de Mitterrand, un village traditionnel blotti autour de son église.

Image « pétainiste » qui renvoie à la terre, aux traditions, repoussant Giscard dans une modernité sans racines dont on ne veut pas. Transformant le « modernisateur » qu'il est en une sorte d'aristocrate rentré de Coblence, compromis dans une affaire des diamants comme il y eut une affaire du collier de la reine ! La calomnie est, de tradition nationale, une arme politique.

Mitterrand est élu le 10 mai 1981 avec 51,75 % des voix contre 48,24 % à Giscard (15 708 262 voix contre 14 642 306).

En juin 1981, les législatives font écho à ce succès présidentiel : le PS et ses alliés obtiennent la majorité des sièges à l'Assemblée.

C'est moins un fort déplacement de voix que les abstentions des électeurs de droite qui sont à l'origine de ce succès.

L'alternance politique est complète.

Mais, pour vaincre, il a fallu ne pas choisir entre « modernes » et « archaïques », donner des gages aux uns et aux autres tout en privilégiant la phraséologie marxisante pour séduire les plus militants des électeurs.

Cette ambiguïté ne peut qu'être source de déceptions.

Mais il est sûr que la victoire n'a été possible que par le ralliement à la gauche des « révolutionnaires » de mai 1968.

En mai 1981, venus de la Bastille, ils arpentèrent les rues du Quartier latin – du théâtre d'une révolution vraie à celui d'une révolution simulacre – en scandant : « Treize ans déjà, coucou nous revoilà ! »

71

À compter de 1981 et durant les vingt dernières années du XXᵉ siècle, la France est déchirée entre illusions et réalité, entre promesses et nécessités.

Certes, souvent l'âme de la France s'est réfugiée dans les songes et les mythes glorificateurs ou consolateurs. Ils avaient aussi la vertu de pousser le peuple à accepter, à conquérir l'avenir.

Rien de tel depuis l'élection de François Mitterrand à la présidence de la République. C'est comme si la vie politique française – gauche et droite confondues – n'avait plus pour objet que de cacher la vérité aux électeurs, de les gruger afin de les convaincre de voter pour tel ou tel candidat.

Si bien que l'écart n'a jamais été aussi grand entre programmes et réalisations, entre discours et actes.

Et jamais la déception n'a été aussi profonde dans l'âme de chaque Français ; le pays entier bascule dans l'amertume, la colère, le mépris à l'égard de la « classe politique » qui gouverne.

Les abstentionnistes sont de plus en plus nombreux et les partis extrémistes – de droite comme de gauche –, protestataires exclus de la représentation parlementaire et de l'exécutif, recueillent les « déçus » des partis de gouvernement, Parti socialiste et RPR – ce parti qui se prétend gaulliste mais qui n'est qu'au service de « son » candidat, Jacques Chirac.

Le PS comme le RPR ont promis des réformes radicales : les uns faisant miroiter au pays la justice sociale, l'égalité ; les autres, la croissance, l'efficacité, donc la richesse et le profit.

Le programme socialiste de 1981 vise même à « changer la vie » !

Jack Lang, ministre de la Culture inamovible, caractérise l'alternance comme le passage « de la nuit à la lumière ». Il inaugure la première fête de la Musique le 21 juin 1981 – jour du deuxième tour des élections législatives qui vont donner la majorité absolue au PS associé aux radicaux de gauche (MRG), débarrassant ainsi Mitterrand de l'hypothèque et du chantage communistes.

Mais l'avenir ne sera pas une fête.

En 1982, dévorée par l'inflation, la France compte pour la première fois de son histoire plus de deux millions de chômeurs.

Quant à Jacques Chirac, élu à la présidence de la République en 1995 au terme des deux septennats de François Mitterrand, il dénonce dans sa campagne contre Édouard Balladur, issu du RPR, Premier ministre de 1993 à 1995, la « fracture sociale ». Et s'engage à la réduire.

Quelques semaines après sa victoire, plus personne ne croit plus au joueur de flûte qui a guidé les électeurs jusqu'aux urnes.

La déception, la méfiance et, ce qui est peut-être pire, l'indifférence méprisante à l'égard des politiques, qui pénètrent l'opinion, expliquent l'instabilité qui s'installe dans les sommets de l'État.

Il peut paraître paradoxal de parler d'instabilité quand François Mitterrand est président de la République pendant quatorze ans et Jacques Chirac, douze ans (un septennat, un quinquennat, 1995-2002-2007). Mais ces durées ne sont que la manifestation la plus éclatante du mensonge et de la duperie qui se sont nichés au cœur de la République.

Ce trucage, destiné à masquer la déconstruction des institutions de la Ve République, se nomme « cohabitation ». Il ne s'agit pas d'un pouvoir rassemblant autour d'un programme résultant d'un compromis politique, du type « grande coalition » entre démocratie chrétienne et sociaux-démocrates allemands, mais d'une neutralisation – stérilisation et paralysie – du président et du Premier ministre issus de partis opposés et préparant la revanche de leurs camps.

La « cohabitation » est pire que l'instabilité qui naissait de la rotation accélérée du manège ministériel sous les IIIe et IVe Républiques. Car, ici, l'ambiguïté, l'hypocrisie, la « guerre couverte », sont le quotidien de l'exécutif bicéphale dominé par la préparation de l'échéance électorale suivante.

Ce système – annoncé par Giscard d'Estaing – présente certes l'avantage de montrer qu'entre les grandes familles politiques, dans un pays démocratique, les guerres de religion et l'affrontement d'idéologies totalitaires contraires ont cédé la place à des divergences raisonnées à propos des politiques à mettre en œuvre au sein d'une société, d'une économie, d'un monde que plus personne ne veut radicalement changer.

C'est bien la fin de la « guerre civile franco-française », le choix de gouverner en s'appuyant sur un groupe central, souhaités par Giscard, qui se mettent lentement en place.

Mais, de manière parallèle, le mitterrandisme puis le chiraquisme ne sont que des giscardismes masqués, l'un sous les discours de gauche, l'autre, sous les propos volontaristes d'un néogaullisme improbable.

Déçu par les majorités qu'il élit, le peuple, d'une échéance électorale à l'autre, contredit son vote précédent, et aucune majorité gouvernementale ne se succède à elle-même depuis 1981.

En 1986, la droite l'emporte aux législatives et Chirac devient le Premier ministre de François Mitterrand.

Ce dernier, désavoué par la défaite de son camp aux législatives, a « giscardisé » les institutions en ne démissionnant pas, mais en menant, de 1986 à 1988, une guerre souterraine contre Chirac, battu en 1988 par un président malade de soixante-douze ans.

Mitterrand dissout alors l'Assemblée. Une majorité socialiste est élue, et Rocard est investi chef du gouvernement.

En 1993, effondrement socialiste, gouvernement d'Édouard Balladur et présidence de Mitterrand jusqu'en 1995.

Élection de Chirac, qui ne dissoudra l'Assemblée – de droite – qu'en 1997, et début d'une nouvelle cohabitation, puisqu'une Assemblée à majorité socialiste est élue...

Cette rivalité au sommet trouve sa justification dans le recours à des discours qui, au nom du « socialisme » ou du « libéralisme », anathématisent l'autre.

Mais ils ne convainquent plus qu'une frange toujours plus réduite de la population. Les couches populaires sont de moins en moins sensibles à ces invocations idéologisées qui n'empêchent pas la dégradation de leur situation (chômeurs, exclus, bénéficiaires du revenu minimum d'insertion, habitants de « quartiers défavorisés »). Ils ressentent cette « guerre verbale » comme un théâtre qui ne parvient plus à masquer une convergence, des arrangements qu'on ne saurait avouer puisqu'il faut, pour des raisons électorales et de partage du pouvoir, continuer de s'opposer comme à Guignol.

Les changements radicaux intervenus dans la situation mondiale rendent encore plus factices les affrontements entre une gauche qui continue de parler parfois marxiste – à tout le moins « socialiste » – et une droite qui, comme la gauche de gouvernement, applaudit à la construction européenne et aux traités qui l'élèvent : Acte unique, Maastricht, monnaie unique, etc.

On verra sur les mêmes tribunes, en 1992, ministres « socialistes » et chiraquiens ou giscardiens favorables à la ratification du traité de Maastricht, cependant que d'autres socialistes (Chevènement) et d'autres « gaullistes » (Séguin) s'y opposeront, les uns et les autres rejoignant pour l'élection présidentielle de 1995 des cases différentes : Séguin, celle de Chirac, Chevènement, celle de Jospin, les giscardiens et d'autres RPR, celle de Balladur.

En fait, la question européenne est révélatrice de la position des élites politiques – et intellectuelles – à l'égard des questions internationales.

Car Mitterrand ne rejette pas seulement l'esprit et la pratique gaulliens des institutions, il abandonne aussi les fondements de la politique extérieure de De Gaulle.

Comme Giscard, il estime que la France ne peut jouer un rôle qu'au sein de l'Europe : « La France est notre patrie, mais l'Europe est notre avenir », répète-t-il. Il faut donc reprendre sa place dans l'OTAN, suivre les États-Unis dans la guerre du Golfe (1990).

La chute du mur de Berlin – 1989 – et la réunification de l'Allemagne, puis la disparition de l'Union soviétique, confortent la diplomatie mitterrandienne dans l'idée que seule l'Union européenne offre à la France un champ d'action.

Restent les interventions dans le pré carré africain, les discours sur les droits de l'homme qui tentent de redonner à la France une audience mondiale non plus au plan politique, mais par les propos moralisateurs, comme si compassion et assistance étaient la menue monnaie de la vocation universaliste de la France.

Ces prises de position manifestent le ralliement du pouvoir socialiste puis du pouvoir chiraquien à l'idéologie du « droit et du devoir d'ingérence », puis du Tribunal pénal international, qui s'appuie sur la conviction que le temps de la souveraineté des nations est révolu.

Les formes nationales étant obsolètes, il convient de privilégier les communautés, les individus, et de rogner les pouvoirs de l'État.

En ce sens, les gouvernements socialistes sont aussi en rupture avec une « certaine idée de la France ».

Ils retrouvent la veine du pacifisme socialiste de l'entre-deux-guerres. C'est au nom de ce pacifisme qu'on juge la Communauté européenne. Elle est censée avoir instauré la paix entre les nations belliqueuses du Vieux Continent. Cette idéologie « postnationale » ne permet pas de comprendre qu'il existe une « âme de la France » et que le peuple – dans ses couches les plus humbles – ressent douloureusement qu'on ne s'y réfère plus. Pis : qu'on la nie.

Et rares sont les politiques – à droite comme à gauche – qui prennent conscience du caractère « national » de la révolution démocratique qui secoue et libère l'Europe centrale après la chute du mur de Berlin et la fin de l'URSS.

Cette force du désir d'identité nationale est ignorée. Évoquer la France, a fortiori la patrie ou la nation, est jugé, par la plupart des socialistes, comme l'expression d'un archaïsme réactionnaire.

Durant les deux septennats de François Mitterrand, ce qui a été mis en avant, ce sont les problèmes économiques, sociaux, voire sociétaux.

Certes, réduire la durée du temps de travail à trente-neuf heures, fixer l'âge de la retraite à soixante ans, instituer une cinquième semaine de congés payés, c'est satisfaire les couches salariées.

Mais l'état de grâce, comme au temps du Front populaire, ne dure que quelques mois. Et les mesures prises en 1981, qui rappellent celles décidées en 1936, les « avancées sociales ou les nationalisations », n'empêchent pas le nombre de chômeurs d'augmenter, les déficits, de se creuser.

C'est qu'il y a une liaison intime entre l'insertion au sein de la Communauté européenne, les choix libéraux qui sont faits à Bruxelles et la politique qu'un gouvernement peut suivre. Et, au bout de quelques mois, dès 1982-1983, s'annoncent la « pause » dans les réformes, la « rigueur ».

Ne pas s'engager dans cette voie, choisir une « autre politique », exigerait de prendre ses distances avec l'Europe. Ce serait une rupture révolutionnaire, et Mitterrand, malgré les conseils de quelques-uns de ses proches, ne la veut pas.

Au vrai, la nomination dès 1981 de Jacques Delors – naguère l'un des concepteurs de la « nouvelle société » de Chaban – au poste de ministre de l'Économie et des Finances montre bien que, malgré quelques pas de côté, Mitterrand ne tenait pas à s'éloigner de la piste du bal.

Mais alors tout discours « socialiste » devient mensonger, puisque la politique économique et budgétaire, et donc la politique sociale engendrée par les choix économiques et financiers, est encadrée par Bruxelles.

Mitterrand peut bien, dans des envolées lyriques, dénoncer « l'argent qui grossit en dormant », son Premier ministre Bérégovoy ouvre la France à la libre circulation des capitaux, met en œuvre une législation favorable à l'expansion de la Bourse, maintient une politique monétaire du franc fort qui provoque la hausse du chômage.

En abandonnant la souveraineté nationale, Mitterrand et les socialistes, aux discours près, acceptent une politique de libéralisation qui est en contradiction avec les mesures économiques et sociales qu'ils ont prises en 1981-1982 ou qu'ils promettent encore. Ce qu'ils développent, face à l'impossibilité de prendre des mesures « socialistes » dans le cadre européen dont ils exaltent par ailleurs la nécessité et la pertinence, c'est une politique sociale d'assistance dont le RMI (Michel Rocard), les « emplois aidés », les allocations de toutes sortes, sont l'expression.

Mais la politique sociale creuse le déficit budgétaire, il faudrait relancer la croissance, donc baisser les impôts pour attirer les investissements et favoriser la consommation, ce qui accroîtrait d'autant les déficits – toutes choses en contradiction avec le traité de Maastricht. Le piège européen est en place, qui condamne toute politique non libérale.

Dès lors, le chômage, résultat de ces contradictions, s'accroît. Mitterrand s'avoue incapable de le réduire (« Nous avons tout essayé »).

Par ailleurs, le nombre des immigrés augmente, résultat de la politique de regroupement familial, d'ouverture des frontières, et de l'attrait qu'exercent la France et l'Europe sur les populations misérables du Sud et de l'Est.

Mais les Français ont le sentiment que l'identité de la nation change au moment même où ils perçoivent que le pays a perdu sa souveraineté politique.

Les élites françaises – celles de gauche au premier chef – persistent à ne pas comprendre cette angoisse et cette souffrance, à propos de la perte de la nation, qu'éprouvent les catégories les plus humbles.

Les réponses « mitterrandiennes » sont sociétales, le plus souvent tactiques et politiciennes.

On suscite la création de mouvements antiracistes, manière de dériver vers une bataille idéologique à faible incidence économique, donc compatible avec les directives européennes, les protestations populaires.

L'émergence, à partir de 1983, d'une formation d'extrême droite, le Front national de Jean-Marie Le Pen, qui se présente comme un mouvement nationaliste et qui atteindra en 1995 plus de 15 % des voix, favorise la stratégie mitterrandienne.

On agite l'épouvantail du Front national pour compromettre la droite si elle songeait à s'allier avec lui, et pour rassembler autour de la gauche les jeunes générations.

On recrée une tension idéologique qui déplace les affrontements sociaux sur le terrain de la menace fasciste, du racisme, de l'antisémitisme, de la xénophobie.

En fait, on abandonne le thème de la souveraineté nationale à cette extrême droite, ce qui, imagine-t-on, va conforter l'européisme.

On oublie que la « nation », la défense de l'identité française, sont des éléments fondamentaux de l'âme de la France.

Or des millions de Français, surtout parmi les couches populaires, ont le sentiment qu'ils ne sont plus pris en compte.

Les défilés populaires du 1er mai sont des rituels qui paraissent désuets, tandis que la Gay Pride occupe les écrans de télévision.

L'âme de la France semble à beaucoup s'évanouir.

On ne se reconnaît plus dans les orientations politiques. Où est la gauche ? Où est la droite ? Qu'est devenue la France ?

La corruption éclabousse tous les milieux politiques.

Le 1er mai 1993 – jour symbolique –, l'ancien Premier ministre Pierre Bérégovoy se suicide.

C'est comme si une gauche, celle qui avait conquis le pouvoir et gouverné avec François Mitterrand, venait de mourir. L'Assemblée nationale est à droite, Édouard Balladur est Premier ministre d'un président de la République rongé par la maladie.

En 1995, Jacques Chirac va être élu avec 52,64 % des voix contre 47,36 % à Lionel Jospin, candidat du Parti socialiste.

Ces chiffres ne donnent pas la mesure de la profondeur des changements qui ont affecté l'âme de la France au cours des deux septennats de François Mitterrand.

Le temps de la « force tranquille », du village immuable de 1981 recueilli autour de son clocher, paraît d'un autre siècle.

En 1995, il est question de mosquées et non d'églises.

Le débat qui avait secoué le pays en 1984 sur la place de l'enseignement privé – catholique – et qui, le 24 juin de cette année-là, avait mobilisé plus d'un million de manifestants défendant la « liberté de l'enseignement » contre l'idée d'un grand service public unifié prôné par les socialistes, a été tranché ; la querelle – qui peut rejouer en telle ou telle circonstance – n'occupe plus le devant de la scène.

Mais la question de la laïcité reste centrale. Et elle s'est posée à la fin du second septennat de Mitterrand à propos de l'autorisation ou de l'interdiction donnée aux jeunes musulmanes de porter en classe un foulard islamique.

Tout comme demeure ouverte la question du rôle de l'État central. Gaston Defferre, le ministre de l'Intérieur de Mitterrand, avait, dès 1981, engagé le pays dans la voie de la décentralisation. Elle s'est élargie pas à pas.

Fallait-il aller jusqu'à l'autonomie, négocier avec les nationalistes corses qui n'hésitent pas à utiliser la violence ?

Ces questions – laïcité, pouvoirs de l'État central –, comme les politiques économiques et budgétaires, se posent dans le cadre de l'Union européenne. Du coup, certains s'interrogent : pourquoi un étage national, dès lors qu'il y a le rez-de-chaussée régional et la terrasse européenne ? La nation n'est-elle pas devenue caduque, inutile ?

Durant les deux septennats mitterrandiens, la place, la puissance, la signification de la nation, qui avaient été les obsessions de De Gaulle, paraissent absentes des préoccupations socialistes.

L'âme de la France, c'est dans les paysages de ses terroirs qu'elle gît désormais. On la rencontre au sommet de la roche de Solutré ou sur le mont Beuvray, site de la ville gauloise de Bibracte où Mitterrand avait songé à se faire inhumer, achetant même à cette fin un carré de cette terre, de cette histoire.

Mais l'indépendance, la souveraineté de la nation, que sont-elles devenues ?

Mitterrand enrichit Paris de monuments. Il croit donc à la pérennité de la capitale de la France.

Mais est-elle pour lui un centre d'impulsion politique au rayonnement mondial, ou seulement un lieu de promenades touristiques et gastronomiques dont ce gourmet de la vie sous toutes ses formes était particulièrement friand ?

L'âme de la France ne doit-elle plus être que cela : une mémoire qu'on visite comme un musée ?

Au fond, durant deux septennats, François Mitterrand a fait à son peuple la « pédagogie du renoncement tranquille ».

Et le peuple, de manière instinctive, en s'abstenant aux élections, en changeant de représentants, en votant pour les « irréguliers », a protesté, s'est débattu comme un homme qui refuse les somnifères et ne veut pas renoncer à son âme.

Et qui s'indigne qu'au moment où toutes les nations renaissent on veuille que l'une des plus anciennes et des plus glorieuses s'assoupisse.

72

De 1995 à 2007, d'un siècle à l'autre, la question de la France est posée.

Comme aux moments les plus cruciaux de son histoire – guerre de Cent Ans ou guerres de Religion, « étrange défaite » de 1940 –, c'est de la survie de son âme qu'il s'agit.

C'est dire que le bilan de la double présidence de Jacques Chirac – 1995-2002-2007 – ou du quinquennat au poste de Premier ministre de Lionel Jospin (1997-2002), dans le cadre de la plus longue période de cohabitation de la Ve République, ne saurait se limiter à évaluer les qualités et les faiblesses des deux chefs de l'exécutif, ou à mesurer l'ampleur des problèmes qu'ils ont été conduits à affronter dans un environnement international qui change totalement de visage et pèse sur la France.

En 1995, on imaginait encore, malgré la guerre du Golfe contre l'Irak, un avenir de paix mondiale patronnée par l'hyperpuissance américaine.

En fait, la guerre sous toutes ses formes a rapidement obscurci l'horizon. Bombardement et destruction de villes européennes (Dubrovnik, Sarajevo, puis Belgrade écrasée sous les attaques aériennes de l'OTAN en 1999). Et la France s'est engagée dans ce conflit des Balkans contre ses alliés traditionnels, les Serbes au nom du « droit d'ingérence ».

Elle est aussi concernée, comme toutes les puissances occidentales, par l'attaque réussie contre les États-Unis (*World Trade Center*, 11 septembre 2001).

« Nous sommes tous américains », affirme le directeur du *Monde* – et la France s'engage dans la guerre contre l'Afghanistan (2002).

Mais elle conteste l'intervention des États-Unis et de leurs alliés en Irak en 2003.

La posture de Chirac, le discours de son ministre des Affaires étrangères, Villepin, au Conseil de sécurité de l'ONU, semblent réactiver une politique extérieure « gaullienne », la France apparaissant comme le leader des pays qui tentent de conserver un espace de dialogue entre les deux civilisations, musulmane et chrétienne.

Ce n'est néanmoins, dans la politique étrangère française, qu'une séquence, certes majeure, mais contredite par d'autres attitudes. Comme si Chirac, plus opportuniste que déterminé, hésitait à élaborer une voie française.

Il est vrai que son choix a suscité dans les élites françaises des critiques nombreuses. On a dénoncé son « antiaméricanisme ».

Par ailleurs, la radicalisation de la situation mondiale se poursuit : attentats de Madrid et de Londres (2004-2005) ; reprise des violences en Afghanistan ; guerre civile en Irak ; guerre entre Israël et le Hezbollah aux dépens du Liban en 2006 ; ambitions nucléaires de l'Iran ; pourrissement de la question palestinienne.

La France hésite, condamne l'idée d'un choc des civilisations entre l'islamisme et l'Occident.

Chirac craint que cet affrontement ne provoque des tensions – elles existent déjà, mais restent marginales – entre des Français d'origines et de confessions différentes.

La France semble donc incertaine, la situation internationale mettant à l'épreuve sa capacité à résister aux forces extérieures.

L'inquiétude se fait jour de voir renaître des « partis de l'étranger », l'appartenance à telle ou telle communauté apparaissant, pour des raisons religieuses, plus essentielle que la spécificité française.

Ainsi se trouve posée la question de la « communautarisation » de la société nationale.

Or, de 1995 à 1997, de nombreux indices ont montré qu'elle était en cours.

On a vu le Premier ministre Lionel Jospin conclure avec les nationalistes corses des accords de Matignon – un « relevé de conclusions » – sans que ses interlocuteurs aient renoncé à légitimer le recours à la violence et à revendiquer l'indépendance.

En acceptant d'ouvrir des discussions avec eux – pas seulement pour des raisons électorales : la présidentielle de 2002 est proche –, Jospin reconnaît de fait la pertinence de la stratégie nationaliste et la thèse d'une Corse colonisée et exploitée par la France.

Or – toutes les élections le montrent – les nationalistes ne représentent qu'une minorité violente, s'autoproclamant représentative du « peuple corse », tout comme les gauchistes affirmaient naguère qu'ils étaient l'expression de la classe ouvrière.

Cette reconnaissance par le Premier ministre, avec l'assentiment tacite du président de la République, et par toutes les « élites » politiques de ce pays – exception faite de quelques « irréguliers » comme Jean-Pierre Chevènement – est lourde de sens.

Le 6 février 1998, en effet, le préfet de Corse, Claude Érignac, a été tué d'une balle dans la nuque à Ajaccio par des nationalistes.

Toutes les autorités républicaines et la population corse ont condamné ce crime hautement symbolique. Le préfet représente l'État centralisé – napoléonien, mais héritier de la monarchie. L'abattre, c'est, par la lâcheté du crime et par sa signification, atteindre l'État, la France, marquer que l'on veut les « déconstruire ».

Accepter que les porte-parole de ces criminels non repentis négocient à Matignon, c'est capituler, admettre, à terme, la fin de la République une et indivisible.

Ceux qui dirigent l'État entre 1995 et 2007 – qu'ils appartiennent au parti chiraquien ou à la « gauche plurielle » – ont jugé que l'espoir de paix civile valait l'abandon des principes républicains.

D'autres signes jalonnant la marche vers une société française communautarisée se multiplient entre 1995 et 2007.

La création du Conseil français du culte musulman, les nombreuses critiques émises au moment de la loi interdisant le port du voile islamique dans certaines conditions, la création d'associations se définissant par leurs origines (Conseil représentatif des associations noires, Indigènes de la République, etc.) sont, quelles que soient les intentions de leurs initiateurs, la preuve de l'émiettement désiré de l'identité française.

Et déjà surgissent – avivées par la situation internationale – des rivalités entre ces communautés.

C'est bien l'« âme de la France » qui se retrouve ainsi contestée dans l'un de ses aspects essentiels : « l'égalité entre les individus liés personnellement à la nation, sans le "filtre" et la médiation d'une représentation communautaire, éthique ou religieuse ».

Le même processus de « déconstruction nationale » est à l'œuvre dans la plupart des secteurs de la vie politique, économique, sociale et intellectuelle.

Dans le domaine institutionnel, Chirac et Jospin ont, de concert, réduit le mandat présidentiel à cinq ans.

Ils poursuivent ainsi le travail de sape de la Constitution gaullienne entrepris par Mitterrand.

Chirac, comme Mitterrand, choisit la cohabitation comme moyen de survie politique.

Il est en effet confronté, dès les lendemains de sa victoire de 1995, à l'impossibilité de tenir ses promesses électorales.

Les contraintes budgétaires d'origine européenne sont renforcées par les obligations liées au passage à la monnaie unique, l'euro, prévu pour 2002.

Premier ministre, Alain Juppé – né en 1945, pur produit de l'élitisme républicain (ENS-ENA) – applique donc une politique de rigueur qui soulève contre lui, en décembre 1995, une vague de grèves à la SNCF, soutenues par une partie des élites intellectuelles représentée par le sociologue Pierre Bourdieu.

Ce dernier aspect est significatif de la permanence et de la réactivation en France d'un courant critique radical. La mort de Sartre en 1980 n'a pas fait disparaître la posture de l'intellectuel critique.

Même si les figures emblématiques sont moins nombreuses – Bourdieu en est alors une –, la multiplication du nombre des enseignants et des étudiants aux conditions de vie difficiles crée une sorte de « parti intellectuel prolétarisé ».

Sans se référer obligatoirement à une idéologie définie, les jeunes professeurs, les étudiants diplômés à la recherche d'un emploi, retrouvent, dans telle ou telle circonstance, un discours radical.

Certains d'entre eux, durant cette période 1995-2007, vont rejoindre les rangs des formations d'extrême gauche qui contestent le Parti socialiste en tant que parti de gouvernement. Ces nouvelles générations, plus instinctives et spontanées que théoriciennes, sans culture historique, philosophique ou révolutionnaire précise, prolongent néanmoins une tradition nationale contestatrice.

Dès lors, en France, la « gauche » gouvernementale, séduite par la « troisième voie » telle que peuvent l'exprimer un Clinton, un Tony Blair, un Schröder (à la conférence des sociaux-démocrates européens réunie à Florence en 1999, Jospin, Premier ministre, est présent aux côtés de Bill Clinton), est électoralement menacée et idéologiquement bloquée par cette extrême gauche.

Quand la social-démocratie explicite et théorise sa ligne politique – Lionel Jospin, né en 1937, de culture trotskiste, s'y essaie –, elle ne peut que dire qu'elle est favorable à l'économie de marché, et hostile à une « société de marché ».

Mais elle est serrée par la mâchoire européenne. Elle ne peut prendre que des mesures sociales, étatiques – réduction de la semaine de travail à trente-cinq heures, création d'emplois aidés, recrutement de fonctionnaires –, qui remettent en cause l'efficacité économique libérale.

Elle est tentée de dépasser ces contradictions en portant le combat contre la droite sur le terrain sociétal : mesures en faveur des immigrés, des homosexuels (PACS, bientôt mariage, droit à l'adoption). Mais elle s'avance prudemment sur le terrain de la flexibilité du travail, compte tenu de cette extrême gauche active qui exerce une sorte de chantage idéologique sur elle.

Ces hésitations du Parti socialiste, ce paysage politique qui se radicalise à l'extrême gauche – et, sur l'autre versant, à l'extrême droite : 15 % de voix pour le Front national à l'élection présidentielle de 1995 –, fragilisent la démocratie représentative.

En décembre 1995, les grévistes font reculer Chirac, qui, pour sortir le gouvernement Juppé de l'impasse, provoque la dissolution de l'Assemblée en 1997.

La gauche l'emporte, et une cohabitation de cinq années commence, avec comme seul objectif, pour Chirac, d'user Jospin afin de le battre à l'élection présidentielle de 2002.

Et Jospin, lui, n'a pour but politique que d'être élu président.

Entre leurs mains politiciennes, les institutions de la Ve République sont devenues une machine à empêcher tout projet à long terme !

Surprise révélatrice de la profondeur de la crise nationale et de la crise de la gauche : pour la première fois depuis 1969, le représentant du Parti socialiste, concurrencé par d'autres candidats se réclamant de la gauche, ne sera pas présent au second tour de l'élection présidentielle de 2002. Jospin, écarté par les électeurs, Le Pen est opposé à Chirac, devenu le candidat « républicain », « antifasciste », « antiraciste », etc.

Débat truqué qui empêche la vraie confrontation entre Chirac et Jospin !

Mais situation exemplaire : les électeurs ne croient plus à la différence entre la gauche et la droite de gouvernement, liées en effet par le carcan européen.

Dès lors, c'est la rue qui décide.

En 2006, une loi votée par le Parlement – sur le contrat première embauche (CPE) – suscite des manifestations importantes. Jacques Chirac la promulgue puis la retire aussitôt, désavouant et protégeant tout à la fois son Premier ministre.

Cette pirouette juridique et politicienne confirme la déconstruction des institutions et le mensonge mêlé de ridicule où sombre la vie politique.

C'est bien la France et son âme qui sont en question.

C'est que, dans tous les secteurs de la société, la crise nationale grossit depuis plusieurs décennies.

En fait, dès les années 30 du XXe siècle, les élites ont commencé à douter de la capacité de la France à surmonter les problèmes qui se posaient à elle.

Les hommes politiques ne réussissaient pas à donner à leur action un sens qui transcende les circonstances, oriente la nation vers un avenir.

Dans ces conditions, la défaite de 1940, cet affrontement cataclysmique, n'avait rien d'« étrange ».

L'impuissance de la IVe République, après la brève euphorie de la victoire, était inscrite dans l'instabilité gouvernementale et dans la médiocrité des hommes politiques, incapables de faire face aux problèmes posés par la fin de l'empire colonial.

Le gaullisme est une parenthèse constructive mais limitée à quelques années – 1962-1967 –, une fois l'affaire algérienne réglée.

Mais, de Gaulle renvoyé, les problèmes demeurent et se compliquent.

Cette France incertaine qui cherche dans la construction européenne un substitut à sa volonté défaillante débouche sur les années 1995-2007, où la crise nationale ne peut plus être masquée.

Il ne s'agit pas de déclin. Les réussites existent. La France reste l'une des grandes puissances du monde. Des tentatives pour arrêter la déconstruction se manifestent çà et là (ainsi la loi sur le voile islamique et quelques postures en politique étrangère). Mais alors que le peuple continue d'espérer que les élites gouvernementales et intellectuelles lui proposeront une perspective d'avenir pour la nation, on lui présente des réponses fractionnées, destinées à chaque catégorie de Français.

Or une somme de communautés, cela ne fait pas une nation, et un entassement de solutions circonstancielles ne fait pas un projet pour la France.

Le vote qui place le Front national au second tour de l'élection présidentielle du 21 avril 2002 traduit ce déficit de sens.

Et le rejet, le 29 mai 2005, du traité constitutionnel européen signifie que la majorité du peuple – contre les élites – ne croit pas qu'un abandon supplémentaire de souveraineté nationale permettra de combler ce déficit de sens qui est cause de la crise nationale. D'autant moins que, de la persistance d'un chômage élevé aux émeutes dans les banlieues

(2005), l'insécurité sociale s'accroît, redoublant les problèmes liés à l'identité nationale.

Car durant ces douze années de la présidence Chirac, ce n'est plus seulement le sens de l'avenir de la France qui est en question, mais aussi son histoire.

Ceux qui ne croient plus en l'avenir de la France ou qui refusent de s'y inscrire déconstruisent son histoire, n'en retiennent que les lâchetés, la face sombre.

Par son discours du 16 juillet 1995, Chirac a reconnu la France – non des individus, non l'État de Vichy – coupable et responsable de la persécution antisémite, contredisant ainsi toute la stratégie mémorielle du général de Gaulle. Selon lui, la France – et pas seulement les Papon, les Bousquet, les Touvier – doit faire repentance et être punie.

L'on a vu ainsi s'ouvrir en 2006 un procès intenté à la SNCF, accusée d'avoir accepté de faire rouler les trains de déportés. Et un tribunal condamner l'entreprise nationale, oubliant les contraintes imposées par l'occupant, le rôle héroïque des cheminots dans la Résistance, cette « bataille du rail » exaltée au lendemain de la Libération !

France coupable, comme si la France libre et la France résistante n'avaient pas existé, donnant sens à la nation.

Mais coupable aussi, et devant se repentir pour la colonisation, pour l'esclavage, la France de Louis XIV et de Napoléon, de Jules Ferry et de De Gaulle.

Si bien que, sous la présidence de Chirac, en 2005, la France participe à la célébration de la victoire anglaise de Trafalgar mais n'ose pas commémorer solennellement Austerlitz !

L'anachronisme, destructeur de la complexité contradictoire de l'histoire nationale, est ainsi à l'œuvre, dessinant le portrait d'une Marianne criminelle au détriment de la vérité historique.

Dans cette vision « post-héroïque » de la France, l'État et la communauté nationale sont des oppresseurs à combattre, à châtier, à détruire. Il faut, dit-on, « dénationaliser la France ».

Restent *des* communautés, chacune avec sa mémoire, s'opposant les unes aux autres, faisant éclater la mémoire collective, la mémoire nationale, ce mythe réputé mensonger.

Et, de 1995 à 2007, l'Assemblée nationale a fixé par la loi cette nouvelle histoire officielle, anachronique, repentante, imposant aux historiens ces nouvelles vérités qu'on ne peut discuter sous peine de procès intentés par les représentants des diverses communautés.

Comment, à partir de cette mémoire émiettée, de cette histoire révisée, reconstruire un sens partagé par toute la nation ?

Comment bâtir avec les citoyens nouveaux qui vivent sur le sol hexagonal un projet pour la France qui rassemblera tous les Français, quelles que soient leurs origines, et faire vivre ainsi l'âme de la France ?

C'est la question qui se pose à la nation à la veille de l'élection présidentielle de 2007, sans doute la plus importante consultation électorale depuis plus d'un demi-siècle.

Avec elle s'ouvre une nouvelle séquence de l'histoire nationale. Elle sera tourmentée. L'élu(e) devra trancher et donc mécontenter et non plus seulement parler, ou séduire et sourire. Les mirages se dissiperont. Après le temps des illusions peut venir celui du ressentiment et de la colère. Certains Français douteront de l'avenir de la nation.

Qu'ils se souviennent alors que, au temps les plus sombres de notre histoire millénaire, dans une *France des cavernes* le poète René Char, combattant de la Résistance, écrivait :

J'ai confectionné avec des déchets de montagnes
des hommes qui embaumeront quelque temps
les glaciers.

Dans ces lignes mystérieuses, bat l'âme de la France.

Décembre 2006.

CHRONOLOGIE V

Vingt dates clés (1920-2007)

1923 : La France occupe la Ruhr.

1933 : Après l'accession de Hitler au pouvoir (30 janvier), l'Allemagne quitte la Société des Nations.

1936 : Hitler réoccupe la Rhénanie (7 mars). Front populaire (mai-juin). Guerre d'Espagne (juillet).

1938 : Accords de Munich.

14 juin 1940 : Les Allemands entrent dans Paris, ville ouverte.

18 juin 1940 : Appel du général de Gaulle à la résistance.

10 juillet 1940 : Pleins pouvoirs à Pétain, fin de la IIIe République.

1943 : Jean Moulin préside à la création du Conseil national de la Résistance (CNR).

1944 (24 août) : « Paris libéré par lui-même ».

Janvier 1946 : De Gaulle démissionne (20 janvier).

1954 : Défaite de Diên Biên Phu (7 mai). Attentats en Algérie marquant le début de l'insurrection (1er novembre).

Janvier 1956 : Victoire du Front républicain (Mendès France, Guy Mollet).

Mai-juin 1958 : Retour au pouvoir du général de Gaulle.

18 mars 1962 : Fin de la guerre d'Algérie.

10 mai 1981 : François Mitterrand élu président de la République. Il le restera jusqu'en 1995 (réélu en 1988).

1995-2007 : Présidences de Jacques Chirac (réélu en 2002).

21 avril 2002 : Le Pen au second tour de l'élection présidentielle.

29 mai 2005 : Les Français rejettent le traité constitutionnel européen.

2007 : Élections présidentielle et législatives.

Index

8907

Composition
NORD COMPO

Achevé d'imprimer en Espagne
par BLACKPRINT CPI
le 23 novembre 2012.

Dépôt légal février 2010.
EAN 9782290007570
1ᵉʳ dépôt légal dans la collection : mars 2009
ÉDITIONS J'AI LU
87, quai Panhard-et-Levassor, 75013 Paris

Diffusion France et étranger : Flammarion